Rofen, Erwin

England, Ein Britenspiegel;

Rofen, Erwin

England, Ein Britenspiegel;

Inktank publishing, 2018

www.inktank-publishing.com

ISBN/EAN: 9783747796344

England
Ein Britenspiegel

Schlaglichter aus der Kriegs-,
Kultur- und Sittengeschichte

Von Erwin Rosen

Sechste Auflage

Verlag von Robert Lutz, Stuttgart

Inhalt

Der Spiegel.

Ein Vorwort.

Seht in den Spiegel!

Der Engländer steht da.

Wohlgenährt und wohlanständig, im ehrbaren Bür=
gerkleid, gesittet und fromm. Das Bild des braven
Mannes. Behaglich sieht er aus, der Engländer; ein
wenig selbstgefällig. Doch der Spiegel lächelt und gibt
das Bild schärfer ...

Das Auge wird kalt, die Stirn eisern. Die Finger
sind gekrallt nach Gold und Gut. Die harten dünnen
Lippen in dem marmornen Gesicht scheinen sich öffnen
zu wollen, um der ganzen Welt entgegenzuschreien:
Ich, ich, ich! Die Gesichtszüge werden alt, böse, ver=
schlagen. In den Backen hockt die Gier, in den Augen
ist kalte Selbstsucht, in den Lippen liegt unerbittliche
Unduldsamkeit. Und wiederum lächelt der Spiegel, denn
als Weltgeschichte ist er der letzte Richter über alles und
so weise, daß er immer lächeln darf. Es regt sich in dem
Wunderglas. Die englische Gestalt wird winzig, wird
in eine Ecke geschoben und steht dort ständig, wie die

7

Unterschrift der Verantwortlichkeit im Buche des Ge=
schehens.

Im Spiegel aber huschen im grellen Wirrwarr die
Tatsachen, die Menschen, die Blutfarben. Irländer
schreien ihre Empörung, Inder seufzen ihre Not, ein
Napoleon lacht bitter, Amerikaner, die längst gestorben
und vermodert sind, klagen das Muttervolk an, Christen
beschuldigen das Volk, das die Bibel als sein besonderes
Eigentum betrachtet, Märtyrer aller Rassen und Völker
zeigen drohend ihre Wunden, Türken lachen Hohn, Ägypter
klagen um ihre Freiheit, die Felsen von Gibraltar erzählen
von Vergewaltigung, Engländer selbst, vom großen
Staatsmann bis zum großen Dichter, verzweifeln an
ihrem eigenen Volk, törichte Negerrassen weinen über
die Segnungen des englischen Christentums. Wie in
Parade marschieren im Spiegelbild die Laster. Da ist
die Lüge, die Scheinheiligkeit, die Gier, der Geiz, die
Verleumdung, die Blutroheit, die Unduldsamkeit, das
kalte Verschlagensein . . .

Seht in den Spiegel!

Die Bilder sind wirr, sind lückenhaft, sind einseitig
— es muß so scheinen — sind hart, sind durch scharfe
Gläser gesehen, ermangeln des versöhnenden Verstehens.
Alle Völker haben ja gesündigt, sündigen, und werden
sündigen. Wenn aber ein Volk aus seinen Fehlern die
Welttugend machen will und sein Wesen, seine besondere
Art, so hinzustellen sich anmaßt, als habe es den Erb=
anspruch auf die materiellen Güter nicht nur, sondern
auch auf die geistigen Werte, dann — halten wir diesem

8

Volk der Engländer den Spiegel vor! Und, weil wir, erblich belastet durch das Blut von verschiedenen germanischen Barbaren, Goethe, so heißen sie, und Schiller, und Lessing, und Treitschke, und Mommsen, und Friedrich Schulze, Volksschullehrer, viel lieber uns selbst kritisieren, als die Völkerherrschaften am Nebentisch, so tun wir das gar nicht gern ... Zweifel entstehen in uns, und wir fragen verzagt, ob das wohl der Gerechtigkeit entspräche. Zum Teufel! Einseitig? Wieso? Lückenhaft? Nein — Kampfesworte, ein Kampfbuch! Es wäre ja ein lächerliches Unternehmen, die ungeheure Geschichte des Engländertums auf wenigen Seiten abschließend schildern zu wollen — aber es ist gar kein lächerliches Unternehmen, dem großen Heuchler unter den Nationen in der Zeit, die ein neues Europa gebären muß, den Zerrspiegel vorzuhalten. Hie die Worte, hie die Taten! Wirre Bilder! Denn auch in der Geschichte der Völker stoßen sich die Dinge hart im Raum, und das Volk ist schwach und armselig, das den Feind nicht zu erkennen vermag.

Schreit es nicht aus dem Spiegel? Ich, ich, ich!

Müssen unsere Augen nicht geschützt werden vor der schönen, blendenden, unschuldigen weißen Tünche, mit der unser englischer Vetter sein wahres Denken so gern verhüllt? Mitten im furchtbaren Geschehen, inmitten der Friedenssehnsucht, die alle Völker des Großen Kriegs wie in seliger Hoffnung auf unvorstellbare Glückszeiten die Kriegshölle ertragen läßt, sollten wir immer und immerzu in den englischen Spiegel sehen, auf daß unseren

9

Kindern und Kindeskindern der Jammer erspart bleiben möge, den wir dulden mußten. Wir müssen mit Wirklichkeiten rechnen! Wir dürfen niemals vergessen, wie kalt und eigensüchtig der Engländer ist, wie hart und unerbittlich, wir müssen es in alle Zukunft wissen:

Der Brite ist so subjektiv, daß wir niemals im Stande sein werden, ihm die Objektivität der Dinge klar zu machen und daß wir ihn deshalb so nehmen müssen, wie er ist, und uns so vor ihm hüten müssen, wie das Erkennen des Krieges es uns gelehrt hat.

Sonst sind wir verloren.

Wir brauchen ein steifes Rückgrat und ein klares Hirn. Je klarer wir sehen und je weniger falsche Vorstellungen wir uns machen über das Volk, das unser Hauptfeind ist im Großen Krieg, desto leichter wird uns die Zukunft werden. Denn wir sind ehrlich. Wir glauben mit heißer Liebe, und wir bekräftigen diesen Glauben mit unserem Herzblut, daß dereinst der lächelnde Spiegel der Geschichte unsere Farben so zeigen wird, daß Englands Blutrot verblaßt.

Hamburg,

auf Urlaub vor dem Ausrücken ins Feld

Mai 1916

Erwin Rosen

10

Memento . . .

◻ ◻ ◻

Haßgesang gegen England.

Von Ernst Lissauer.

Was schiert uns Russe und Franzos',
Schuß wider Schuß und Stoß um Stoß,
Wir lieben sie nicht,
Wir hassen sie nicht,
Wir schützen Weichsel und Wasgaupaß, —
Wir haben nur einen einzigen Haß,
Wir lieben vereint, wir hassen vereint,
Wir haben nur einen einzigen Feind:
      England.

Den ihr alle wißt, den ihr alle wißt,
Er sitzt geduckt hinter der grauen Flut,
Voll Neid, voll Wut, voll Schläue, voll List,
Durch Wasser getrennt, die sind dicker als Blut.
Wir wollen treten in ein Gericht,
Einen Schwur zu schwören, Gesicht in Gesicht,
Einen Schwur von Erz, den verbläst kein Wind,
Einen Schwur für Kind und für Kindeskind,
Vernehmt das Wort, sagt nach das Wort,

13

13

Es wälze sich durch ganz Deutschland fort:
Wir wollen nicht lassen von unserm Haß,
Wir haben alle nur einen Haß,
Wir lieben vereint, wir hassen vereint,
Wir haben alle nur einen Feind:
        England.

In der Bordkajüte, im Feiersaal,
Saßen Schiffsoffiziere beim Liebesmahl, —
Wie ein Säbelhieb, wie ein Segelschwung,
Einer riß grüßend empor den Trunk,
Knapp hinknallend wie ein Ruderschlag,
Drei Worte sprach er: „Auf den Tag!"
Wem galt das Glas?
Sie hatten alle nur einen Haß.
Wer war gemeint?
Sie hatten alle nur einen Feind:
        England.

Nimm du die Völker der Erde in Sold,
Baue Wälle aus Barren von Gold,
Bedecke die Meerflut mit Bug bei Bug,
Du rechnetest klug, doch nicht klug genug.
Was schiert uns Russe und Franzos'!
Schuß wider Schuß und Stoß um Stoß.
Wir kämpfen den Kampf mit Bronze und Stahl,
Und schließen Frieden irgend einmal,
Dich werden wir hassen mit langem Haß,
Wir werden nicht lassen von unserm Haß,

14

Haß zu Wasser und Haß zu Land,
Haß des Hauptes und Haß der Hand,
Haß der Hämmer und Haß der Kronen,
Drosselnder Haß von siebzig Millionen,
Sie lieben vereint, sie hassen vereint,
Sie haben alle nur einen Feind:
        England.

□

Denn wer ist unter uns, der wirklich glaubt, daß wir je guten Willen vom Engländer zu erwarten haben?

Zug um Zug!

Geschäft um Geschäft!

Das mag sein. Sonst aber hüte dich, deutscher Michel!

                                    Erwin Rosen.

□

Wie der Haß ausbrach.

Aus dem noch nicht veröffentlichten Kriegswerk Erwin Rosens.

Die Stadt der königlichen Kaufleute arbeitete.

Der Schlag hatte schwer getroffen. Schwerer als irgendwo im Reich. In stillen Arbeitszimmern, deren schallsichere Wände keinen Laut einließen, arbeiteten Männer, rechneten, trafen Anordnungen, die in die fernsten Winkel der Welt gedrahtet werden mußten. Diese Arbeit bedeutete die Sorge für die Millionen an Geld, die Sorge für die Tausende von Angestellten. Ein einziger Augenblick hatte alles umgeworfen. Diese Berechnungen von gestern, diese Abschlüsse, dieses Vorauslenken der Märkte — das war nun eine Lächerlichkeit. Wertlos. Das wußte der einfachste Hafenarbeiter. Er wußte freilich nicht, daß Männer, von denen er glaubte, sie seien so reich und so mächtig wie irgend jemand auf der Welt, sich jetzt mit vertrauten Mitarbeitern berieten, wieviel und welcher von dem Reichtum da, der in diesen bedruckten Papieren steckte, wertlos war, gänzlich wertlos. Nicht viel besser als eine alte Zeitung. Aber er wußte, daß das eine böse Geschichte war, wenn auch die Hausflaggen der Reedereien noch stolz flatterten auf den Gebäuden und auf den Schiffen im Hafen. Es war

16

etwas zerbrochen in der Maschine. Ein Schwert war in das Lenkrad gefahren und hatte Speichen zertrümmert. Schon stockte der Warenverkehr. Die Ausfuhr war gering, die Einfuhr winzig für Hamburger Verhältnisse.

Aber die Männer ließen sich nichts merken.

Sorge war in ihnen. Die Privatnachrichten aus England lauteten widersprechend. Sie waren zum Teil beruhigend. Andere Meldungen aber von Freunden, Teilhabern, Angestellten zeigten, daß die englische Presse die Lage zu Gunsten Rußlands darstellte und daß jedenfalls das erhoffte Abrücken von dem Moskowitertum und Serbien unterblieb. Dann war der telegraphische Verkehr sehr schlecht. Das konnte man sich ja erklären. Aber manchmal waren die Zeitverluste der Depeschen doch sonderbar. Das Verhalten Englands bedeutete eine Sorge. Man mußte klar sehen. Aber niemand in Hamburg, niemand, vom großen kaufmännischen Führer bis zum kleinen Angestellten, der ein Stück seiner Lehrzeit in London verbracht hatte, dachte an einen Krieg mit England.

Gerade in Hamburg, das sich England und den Engländern näher fühlte als irgend einem anderen fremden Volk, die Amerikaner nicht ausgenommen, in Hamburg, das so manche englische Sitte eingeführt und mit den Leuten in London eine Art von Vetternschaft gepflegt hatte, wollte niemand glauben, daß England uns in den Rücken fallen könne. Man wußte freilich recht gut, aus Erfahrung, wie böse die Herren über unsere wirtschaftlichen Erfolge waren. Aber der Krieg war etwas anderes. Nein, daran glaubte niemand.

Man fürchtete nur, daß das tüchtige Albion sich Vor=
teile suchen würde — und man hatte ein bißchen Angst
vor diesen Vorteilen ...

So kam der 4. August.

Der Tag, auf den ganz Deutschland wartete. Der
Reichstag versammelte sich.

□

In der Reichstagssitzung bemerkten Abgeordnete und
Parlamentsberichterstatter, daß während der Rede des
Reichskanzlers ein Beamter des Reichstags die Türe
hinter der Bundesratstribüne halb öffnete und durch
Winken und leisen Zuruf den Staatssekretär des Aus=
wärtigen herausbat.

Sie beachteten den kleinen Zwischenfall natürlich gar
nicht. Aber sie erinnerten sich später an ihn, und das Bild
blieb ihnen eingegraben im Gedächtnis. Sie hatten Grund
dazu. Denn das war der Augenblick, der bedeutete, daß
nun die Welt in Flammen stand —

Draußen wartete der Botschafter Seiner Großbri=
tannischen Majestät, Sir Edward Goschen.

Er bat Herrn von Jagow um eine Auskunft. Er
wünschte zu wissen, im Namen seiner Regierung, ob
Deutschland die Versicherung abgeben könne, daß keine
Verletzung der belgischen Neutralität stattfinden würde.

Der Staatssekretär gab die Antwort, die alle Kinder
der kommenden deutschen Generationen in der Schule
lernen werden. Er erklärte, daß dies nicht möglich sei,
und setzte die Gründe auseinander, die Deutschland

18

zwangen, sich gegen einen französischen Einfall durch
Betreten belgischen Bodens zu sichern. Der Staats=
sekretär hätte sich die Worte sparen können ... Die Ver=
abschiedung der beiden Herren wird steif und förmlich
gewesen sein.

Es brannte lichterloh im Weltgebäude.

Seiner Großbritannischen Majestät Botschafter hatte
seine Instruktionen ...

□

Ich war auf dem Nachhauseweg und fuhr in der
Straßenbahn. Als der Wagen sich dem Ende des Jungfern=
stiegs näherte, strömten plötzlich von überall Menschen
zusammen. Von allen Seiten. Sie rannten nach dem
Gänsemarkt. Immer mehr kamen. Die Straßenbahn=
wagen fuhren unter gellendem Warnungsgeklingel etwas
langsamer. Als er die Ecke erreicht hatte, hielt er plötzlich.
Die Fahrgäste sprangen heraus. Von überall kamen
immer mehr Menschen. In wenigen Minuten war es
ein schwarzes Gewimmel. Denn da oben im zweiten
Stock des Zeitungsgebäudes glänzte grell die beleuchtete
Leinwand, die nur dann erhellt wurde, wenn wichtige
Nachrichten eingelaufen waren und sofort mitgeteilt wer=
den konnten.

Immer mehr Menschen kamen.

Zuerst wollte ich mich durchdrängen und in das Ge=
bäude eilen, um sofort zu erfahren, was geschehen war.
Aber das Bild hier war größer, eindrucksvoller. Es konnte
ja nur wenige Minuten dauern, bis die technische Arbeit

19

der Übertragung auf die Scheinwerferplatte fertig war.
Da — jetzt kam es — —

Die erste Platte:

Krieg —

Die zweite Platte:

mit —

Pause. Eine halbe Minute vergeht. Es ist so still geworden, daß man die Leute um sich atmen hören kann. Die dritte Platte kommt:

England —

Ich stand stockstill da und starrte auf den gelben Fleck und die schwarzen Buchstaben. Das Erleben zerteilte sich in Bruchteile von Augenblicken. Ich spürte keinen Zorn. Keine Erregung. Nur maßlose Überraschung. Ein Ge= lähmtsein vor dem Unerwarteten. Ein Dastehen vor dem Grellen, das ein Menschenhirn nicht in der Sekunde er= fassen konnte. So muß einer fühlen, der im Spazieren= gehen von hinten niedergeknüppelt wird. Was — was ist — was ist mit mir geschehen —. Auf einmal keucht es aus all den vielen Menschen empor wie ein einziger Schrei. Es war kein Hurra, es war kein Brüllen, es war ein unbestimmter Laut. Und sofort wurde es wieder still. Man starrte auf den Fleck da oben. Und dann kam ein Gedränge. Man wollte näher an das Gebäude heran, näher an der Türe sein, aus der die Extrablätter kommen mußten. Ich erinnere mich, daß ich ganz trocken zu einem Nebenstehenden sagte:

„Die Extrablätter müssen in wenigen Minuten da sein. Das Setzen dauert fünf Minuten — das Stereoty=

20

pieren fünf Minuten, höchstens zehn — die Maschinen werden schon laufen ..."

Aber jetzt brach ein Babel los von Stimmengewirr. Irgend jemand rief:

„Es ist nicht wahr — nicht wahr ist es — ich habe das Dementi schon über den Fernsprecher gehört — es ist die falsche Meldung eines Berliner Blattes ..."

Dann waren Worte nicht mehr zu verstehen in dem Getöse. Aber plötzlich wurde es wieder still. Oben in der Schriftleitung wurde ein Fenster geöffnet und einer der Zeitungsleute warf die ersten paar hundert Exemplare der von der Presse kommenden Extrablätter auf die Menge hinab. Die weißen Blätter flatterten langsam nieder. Man stürmte vorwärts wie wahnsinnig. Ein böses Gedränge entstand. Da las jemand laut vor —

Amtliche Meldung. Berlin 4. August. Kurz nach sieben Uhr erschien der englische Botschafter Edward Goschen auf dem Auswärtigen Amt, um den Krieg zu erklären und seine Pässe zu fordern.

Ein Mann neben mir hatte eines der Extrablätter ergattert. Er las es, das Blatt hochhaltend, damit die Umstehenden mitlesen konnten, und dann packte ihn plötzlich die blinde Wut. Er zerknüllte den Fetzen, warf ihn nieder, und trampelte wie ein Besessener auf dem Knäuel herum —

„Die Hunde —" brüllte er. „Die elenden Hunde — —"

„Der feige Streich eines Krämers!" sagte langsam ein Herr, der in meiner Nähe stand. „Ich fürchte, wir sind sehr langmütig und sehr töricht gewesen ..."

21

„Die Schurken!"

„Haut den Englishman ..."

Und das Stimmengewirr steigerte sich und sank wieder. Ich weiß, daß ich dastand und amerikanische Verwünschungen vor mich hinsagte, so roh, daß ich sehr böse geworden wäre sonst, wenn einer mir gesagt hätte, ich würde sie anders gebrauchen als im Scherz.

„Ihr Hundesöhne — ihr Hundesöhne ..."

Da kam die Lösung.

Auf einmal sangen die Menschen wie aus einem Herzen und einer Kehle heraus —

Deutschland über alles —

Über alles in der Welt ...

Hundertmal hatte man es gehört in diesen Tagen, das Lied, und hundertmale hatte man sich ein wenig geärgert darüber, daß die Tränen nicht fest und sicher genug eingeschlossen schienen in dem Seelenschränkchen hinter den Augen. Jetzt aber sang man aus dem Herzen heraus, was nur herauswollte. Zum Teufel mit der Scheu. Zum Teufel mit dem dummen Gefühl, daß die Stimme rauh war und unschön — — —

Man sang!

Herrgott — wie man sang — um die elfte Abendstunde des 4. August. —

Über alles, über alles in der Welt!

□

In dieser Nacht schlief Hamburg wenig.

England erklärt den Krieg.

22

Auf den Straßen flutete und wogte es. Erregte Menschen standen in Gruppen beisammen. Bierstuben und Kaffeehäuser waren gedrängt voll bis zum letzten Augenblick der unerbittlichen Polizeistunde.

Die Menschen wollten nicht nach Hause.

Sie mußten sich den Zorn herunterreden von den Herzen. Der Haß fraß sich in die Seelen. Rußland mochte an die slavische Idee glauben, Frankreich für die alte Revanche kämpfen, aber die — die Vettern über dem Kanal — da überlief es einen siedendheiß ... Die hatten keinen ehrlichen Grund. Nicht einmal vor sich selber. Die bitterbösen Worte, die in dieser Nacht gesprochen wurden, wird sein Leben lang keiner vergessen, der sie sprach, und keiner, der sie hörte —

Denn in diesen Stunden begann der große Haß.

Man sah ihn seelennackt, der Mätzchen entkleidet, den gierigen Krämer, wie er um sich blinzelte aus schlauen Äuglein und erspähte, wo ihm die Übermacht zu sein schien — so lang hatte er klug gewartet — und nun hastig zuschlug, um den gefürchteten Nebenbuhler zu vernichten, der auf den Märkten der Welt mit ihm um den Erfolg gerungen hatte. Das Spiel war so durchsichtig. Die Gemeinheit lag so offen da.

Und der Haß fraß sich weiter.

Wie Eisesluft schien es herüber zu streichen von drüben über dem Wasser. Die Kälte drang ins Mark. Der einfachste Mann sah die kalte Überlegung, die den Schlag führte. Man wunderte sich, wie blind man gewesen war.

23

Sie hatten uns dreinreden wollen, als wir die Flotte bauten, weil ihnen der Gedanke unerträglich gewesen war, daß sie nicht mehr allein die Herren sein sollten. So viele vernünftige Worte und so viele gescheite Gedanken hatten wir an diese Angelegenheit verschwendet! Weil wir glaubten, das Volk der Kaufleute müsse einsehen, daß man nicht bis zu den Enden der Welt arbeiten kann ohne schirmenden Schutz — und weil wir glaubten, sie seien zu stolz und zu tüchtig, die Vettern, um sich auf die Dauer in hämischen Neid zu verrennen. Es sind ja immer die Untüchtigen, die stänkern und sich über die Erfolge der andern wurmen. Wie töricht war all die schöne Logik gewesen! Jetzt sah man ihn, den Engländer. Dreist und gottesfürchtig, wie er im Hotel gewesen war, auf Reisen, in der Unterhaltung im Auslande, packt er zu. Immer den besten Platz haben müssen! Immer rücksichtslos! Ich! — Ich! — Ich!! Und hübsch verlogen dabei! Die Neutralität Belgiens schützen? Belgien hätte zehnmal zum Teufel gehen können, wenn nicht England —

Es war ein Krämerkrieg.

Und der Haß fraß tiefer.

Mit dem Haß kam die Scham. Wie hatte man den plumpen Egoisten verzärtelt! Die Töchter dachten an die englischen Worte, die sie sich beim Tennisspielen zugerufen hatten — die Väter erinnerten sich wütend, daß sie ihre Geschäftswechsel auf Südamerika und China und Japan und Gottweißwo, auf eine englische Bank gezogen, bei einer englischen Bank eingelöst, und den Makler-

24

verdienst dem Engländer überlassen hatten, als ob das so
sein müßte — und die Söhne schämten sich, daß sie sich
in London so große Mühe gegeben hatten, ja nicht wie
Deutsche auszusehen und sich um Gottes Willen nicht wie
Deutsche zu benehmen, sondern wie Engländer. Herrgott —
das sollte anders werden! Was? Wenn ein deutscher
Mann sagen wollte, daß er ein anständiger Mensch sei,
so hatte er sich einen Gentleman genannt? Das — das
Wort sollte jetzt ein Schimpfwort werden! Wer gegen
Treu und Glauben handelte, dem würde man zurufen
in Zukunft:

„Du — Gentleman!"

Und der Haß fraß — — —

Ein guter Haß. Der soll uns bleiben!

□

Es war spät nach Mitternacht, als ich nach Hause
wanderte. Die Straßen leerten sich langsam. Es war
mir nicht zumute, als ob ich die schwere Aufgabe dieses
neuen Kriegs erfassen und in die Zukunft schauen müßte.
Die lag verhüllt. In Sturmeswolken. Wer mochte jetzt
grübeln ...

Die Antwort auf die Schicksalsfrage war schon ge=
geben. Sie war gegeben, als es vor Stunden aus der
schwarzen Menschenmenge mit Urgewalt hinausdonnerte —

Über alles, über alles in der Welt — —

Aber da drüben, über der schwarzen Nachtalster,
ragte wie ein ungeheurer schwarzer Schatten das Ge=

25

bäude der Hamburg=Amerika=Linie. Dunkel. Kein Licht
in den Fenstern. Ich dachte an den Spruch über dem
Portal. Mein Feld ist die Welt. Das war es — das war
der Kriegsgrund ... Dunkel, das Gebäude? Ja, man
liebte es nicht dort, die Arbeit zu zeigen. Denn irgendwo
im Hause, hinter verhüllten Fenstern, mußte jetzt dort
gearbeitet werden in wahnsinniger Hast gegen Zeit und
Schicksal. Dort saßen Männer, für die die Fernsprechlinien
nach Berlin, nach Kiel, nach Nauen offen waren. Von
dort aus jagten die Warnungen und die Befehle zu den
deutschen Funkentürmen und aus den Funkentürmen
brüllte das Funkengeknatter bis an das Ende der Welt:
     Krieg mit England!
     Wahrt euch, deutsche Schiffe!
     Kämpft, Hilfskreuzer!
     Jetzt schon knatterte es in den drahtlosen Räumen
deutscher Handelsschiffe. Kapitäne steuerten in furchtbarer
Fahrt auf den nächsten Hafen. Passagiere wurden bleich
und bangten. Der Schrecken huschte über die Meere.
Es brannte an allen Ecken und Enden der Welt. Die
Feuerglut rollte über die Wasser. In fernsten Welt=
winkeln machten deutsche Geschwader klar zum Kampf
und deutsche Hurras donnerten über Schiffsverdecke ...
     Deutsche Schiffe mußten zugrunde gehen — —
     „Mein Feld ist die Welt!" Das stolze Wort war
zerbrochen, bis — bis der Tag des Sieges kam ...
     Da hinten, verborgen hinter den schwarzen Häuser=
schatten, in denen die Kopfarbeit Hamburgs geleistet
wurde, lag weitgestreckt in seinen wirren Verästelungen

26

das Kunstwerk von Zweckmäßigkeit und Leistung: Der Hamburger Hafen. In dem herrschte jetzt, während in der Stadt der Zorn flackerte und der unauslöschliche Haß geboren wurde, geheimnisvolles Leben und Treiben. Männer huschten in Barkassen. Der Befehl hatte sie von der Straße geholt, aus den Betten gerissen, Automobile sausten an den Kais entlang. Auf den großen Werften sprühten die Lichter in die Nacht hinein und Tausende von rasend arbeitenden Händen setzten die Schiffe instand, die den Schrecken unter den neuen Feind tragen sollten. Rasche Schlepper sausten die Unterelbe hinauf. Oben bei Cuxhaven waren die Lichter gelöscht und wachsame Augen starrten über das Meer —

Der Feind — der neue Feind ...

In Offiziersmessen war unter brausendem Jubel das letzte Glas getrunken worden und Männer hatten sich die Hände gereicht:

Jetzt gilt es!

Der Tag ist da.

Und schon jagten die raschen Schiffe über die Gewässer und aus ihren Hecks spie der Tod. Die Minen plumpsten ins Wasser. Immer weiter wurde der tödliche Kreis und immer ferner hinaus sausten die Schiffchen. Jetzt mochten sie kommen, die Engländer! Um den Kreis herum aber schlichen Schiffe, die vor Stunden noch leblos und starr im Hamburger Hafen gelegen hatten, und machten sich auf, den Schrecken an die feindliche Küste zu tragen. Männer standen auf Kommandobrücken und schauten hinaus in die Nacht und zitterten in ihren Herzen

27

vor Stolz, daß sie es sein durften, die den Minenkrieg
an die Themsemündung trugen.

In den Lüften surrte und rauschte es. Luftkreuzer
zogen dahin, nach dem Feind zu spähen ...

□

Ich ging langsam nach Hause.

Und der Haß war in mir, der neue Haß, der furcht=
bare Haß. Stimmen wisperten und raunten und flüsterten
in der stillen Nacht, hämmerten in das Hirn hinein das
neue Wollen, das diese Stunden gezeugt hatten —

Wehe dir, England!

Und die Stimmen wurden stärker, steigerten sich zum
Schrei, kamen weit her von überall, wo deutsche Männer
die Fäuste ballten in dieser Nacht:

Wehe dir — England!

□

Die Blutſchuld.

Am 4. Auguſt 1914, der bis in alle Ewigkeit einer der dunkelſten Tage Englands ſein wird, ſchwebte das Schickſal der ganzen Welt auf des Meſſers Schneide. Es lag in der Hand Englands, ſeiner Regierung und ſeines Parlaments, die welthiſtoriſche Entſcheidung entweder zugunſten des Friedens, des Rechts und des Guten fallen zu laſſen oder zugunſten des Krieges, des Verbrechens und des Böſen. Am 4. Auguſt — an dieſem großen welt= hiſtoriſchen Gedenktage — hat England ſich für das letztere entſchieden und damit die Blutſchuld des größten Verbrechens auf ſich geladen, das jemals die Menſchheit erlebt hat, und deſſen entſetzliche Folgen in ihrem ganzen Umfange gar nicht abzuſehen ſind. Der Fluch von Millionen unglücklicher Menſchen fällt auf das Haupt des britiſchen Inſelreiches, deſſen ſchrankenloſer nationaler Egoismus keine anderen Ziele kennt als die Ausdehnung der britiſchen Herrſchaft über den ganzen Erdkreis, die Ausbeutung aller anderen Nationen zu ſeinem Vorteil und die Ausfüllung ſeines unerſättlichen Geldbeutels mit dem Golde aller übrigen Völker!

Ernſt Häckel.

□

29

Blitzlichter

□ □ □

Right or wrong, my country.

Lord Palmerston.

□

Englands Flagge.

Das war des Briten Gebet
Zu jeder Zeit:
Die Welt ist mein, so weit
meine Flagge weht!

Und ob ich Unrecht tu'
für Englands Ehr' —
Schandtat ist keine Schandtat mehr,
deckt die heilige Flagge sie zu.

Die Flagge wird nie zum Spott!
Sie muß bestehn
Und stolz in allen Winden wehn —
dazu helfe uns Gott!

So war des Briten Gebet,
Und jetzt? Und jetzt?
Hört ihr, wer keift und schwätzt,
daß man das Tuch nach dem Winde dreht!?

Das ist britischer Stolz:
Wettert ein Starker her,
reißt man die heilige Flagge vom Holz —
sie bezahlt sich nicht mehr!

Heilig ist nun „die List",
und Krämersinn
zählt den Gewinn,
der aus Feigheit erwachsen ist.

Aber es naht, es naht:
Feuer und Spott!
Deutsche Flagge über deutscher Tat!
Dazu helfe uns Gott!

Peter Scher im Simplicissimus.

□

Die Wahrheit.

Wir müssen für den Tag vorsorgen, der uns auf breiterem Landbesitz finden muß, und haben die Pflicht ererbt, zu hindern, daß einst das Antlitz der Erde die Züge fremden Wesens, nicht unseres zeige.

Lord Roseberry.

□

Immanuel Kant:

Die Engländer sind im Grunde die depravierteste Nation. Die ganze Welt ist ihnen England, die

34

übrigen Länder und Menschen sind nur ein Anhängsel, ein Zugehör ... Ich hoffe, es wird glücken, daß sie gedemütigt werden.

□

Das englische Evangelium.

Die britischen Interessen sind:

Vor allem die Herrschaft über alle Meere in aller Welt, sowohl in militärischer wie in wirtschaftlicher Beziehung. Solange dies zugestanden ist, darf Friede sein. Wird dieser Anspruch bestritten, so bedeutet das den Krieg. An zweiter Stelle verlangen die britischen Interessen das Recht, auf den Besitz aller gesunden und fruchtbaren Länder, wenn sie nicht einem Volk gehören, das sich gegen solche englische Besitzergreifung ernsthaft wehren kann.

Übersetzt aus Sir Roger Casement, „The crime against Europe". The Continental Times Co., Berlin 1915.

□

Im Gehirn des Engländers spiegeln sich die Dinge so, daß es ihm einfach eine Notwendigkeit ist, deutschen Einfluß in der Welt zu bekämpfen. Er bekämpft Deutschland instinktiv, gegen alle Vernunftsgründe, gegen allen Rat, blind, was auch kommen und was es kosten möge, und er wird das tun bis zum Ende.

Sein Gedankengang, wenn man bei einer Sache

35

primitiven Inftinkts von Gedankengängen reden kann,
ift ungefähr der folgende:

Deutfcher Einfluß muß britifchen Inter=
effen feindlich fein. Denn die beiden Völker
find fich zu ähnlich. Die Eigenfchaften, die
England groß gemacht haben, befitzt Deutfch=
land in noch größerem Maße. Im freien Wett=
bewerb wird und muß es uns fchlagen. Es wird
uns fchlagen auf jedem Markt der Welt und
wir werden fchließlich eine Stellung ein=
nehmen wie das Frankreich von heutzutage.
Da ift es beffer, wenn wir kämpfen, folange
wir noch die Stärkeren find; beffer, Deutfch=
land jetzt den Stein in den Weg zu werfen,
ehe es zu fpät ift.

Überfetzt aus Sir Roger Cafement,
„The crime against Europe". The Continental Times Co., Berlin 1915.

□

England und Deutfchland.

Englands Stellung zu Preußen und Deutfchland
war von alters her mehr diejenige eines herablaffenden
Gönners und väterlichen Züchtigers, als die eines offenen
Freundes oder Feindes gewefen. Um Englands Feind=
fchaft zu verdienen, ftand Preußen nicht hoch genug.
Das wurde erft feit der Mitte des Jahrhunderts anders.
Im Krimkriege loderte England in heller Entrüftung,
daß Preußen, das die Streitfache ganz und gar nichts
anging, nicht mit gegen Rußland ziehen wollte.

36

Im Kriege um Schleswig-Holstein stand es auf dänischer, 1866 auf österreichischer, 1870 auf französischer Seite, wenigstens von dem Augenblicke an, wo das Heer des Norddeutschen Bundes seinen Siegeslauf antrat.

Aus dem mißgünstigen Zuschauer aber wurde ein erbitterter Feind, als Deutschland seit 1884 an den Aufbau eines eigenen Kolonialreiches ging.

Dr. Alexander Tille (von 1890—1900
Dozent an der Universität Glasgow);
„Aus Englands Flegeljahren".

□

Wir wollen uns nicht selbst betrügen: Das Herz dieser antideutschen Koalition ist England! Weder Frankreich noch Rußland konnten oder würden es ausgeheckt haben! Diese Länder haben weder die Schiffe noch die Bemannung und auch nicht die strategische Lage, für eine solch mächtige und abschreckende Verteilung der Seemacht. Wir sind es, das liberale England, die in dieser Entwicklung den Völkern der Erde als die aktiven Erreger des Zwiespaltes in Europa, als die wohlüberlegte Maschine und Haupttriebfeder des Krieges erscheinen. — Was hat es da für einen Zweck, über eine Annäherung an eine Nation zu reden, die wir so insultieren, so bedrohen? Was für einen Sinn hat es, Deutschland vorzuschlagen, seine Rüstungen zu reduzieren, wenn es klar ist, daß wir es zur Verteidigung gezwungen haben, wenn die einfache Überlegung eines

37

wachsamen und alarmierten Patriotismus nur zu neuen Anstrengungen zwingen muß?

Keine Gefahr für die Zivilisation, keine Gefahr für den Frieden, für den allgemeinen Fortschritt der Staatenentwicklung kann man zugunsten solcher Politik vorbringen, was man doch in Befürwortung von Pitts Kombination gegen Napoleon sagen konnte! Lord Beaconfields antirussische Politik hat eine durchdachte Theorie oder zum wenigsten eine hartnäckige geistige Angewohnheit Englands hinter sich.

Aber diese Politik hat nichts Gutes auf ihrer Seite, weder Recht noch Ehre, weder Tradition, Gerechtigkeit oder gesunden Menschenverstand!

H. W. Massingham in der Londoner
Daily News, 6. September 1912.

□

Und haben wir es jemals von der englischen Diplomatie erlebt, daß sie ein deutsches Interesse gefördert hätte?

Hofmann, „Fürst Bismarck 1890—1898“.

□

Seit der Niederringung des Napoleonischen Weltreichs hatte sich England zu einem Imperium entwickelt, wie es die Weltgeschichte noch nicht sah. Um die Jahrhundertwende beherrschte England ein Fünftel der Erdoberfläche. Die englische Industrie und der englische

38

Handel ließen Industrie und Handel aller anderen Völker weit hinter sich, England war durch seine überragende Seemacht die unbestrittene Herrin der Meere. Da setzte, ungefähr mit dem Regierungsantritt Wilhelms II. zusammenfallend, eine Entwicklung der Wirtschaftskräfte des deutschen Volkes ein, die gleichfalls in der Geschichte ohne Vorgang war. Noch 1890 überließ uns England nichtsahnend das mächtige Bollwerk der Nordsee, Helgoland. Was konnte es auch von Deutschland fürchten? War Deutschland doch noch nicht einmal in der Lage, seine Kriegsschiffe selbst zu bauen; die wenigen kleinen Schiffe, die seine Kriegsflotte besaß, hatte es in England bestellt. Da wuchsen die deutsche Industrie und der deutsche Außenhandel mit einem gewaltigen Ruck in die Höhe. In wichtigen Industriezweigen haben wir England in seinen Produktionsziffern in kurzer Zeit eingeholt, in einigen überflügelt. Die Leistungen des deutschen Schiffbaues sind heute denen des englischen ebenbürtig, wenn nicht gar überlegen. Unsere Handelsflotte ist nach der englischen die größte der Welt, und die beiden größten und bestorganisierten Schiffahrtsgesellschaften der Welt haben ihren Sitz in Deutschland. Mit dem Wachstum der deutschen Übersee-Interessen war das Wachstum der deutschen Seemacht unzertrennlich verbunden. England hatte sich aber so an den Gedanken der unantastbaren englischen Seeherrschaft gewöhnt, daß ihm der Gedanke, die Seeherrschaft mit anderen teilen zu sollen, unerträglich war.

Paul Helbeck
in der Naumannschen „Hilfe".

◻

Wohl niemals in der Weltgeschichte wurde
die Irreführung eines ganzen Volkes so scham=
los, so ruchlos und so geschickt=schlau angelegt
und durchgeführt, wie die Irreführung Eng=
lands in bezug auf Deutschland. Diese Irrefüh=
rung trägt die Schuld an dem jetzigen Krieg. Von An=
fang an ist England die treibende Kraft gewesen; Eng=
land hat den Krieg gewollt und herbeigeführt; England
hat die Entfremdung Rußlands von Deutschland be=
wirkt, England hat Frankreich unablässig aufgehetzt.
Möglich wurde diese frevelhafte Politik einzig durch
berechnete, systematische Irreführung des englischen
Volkes.

Houston Stewart Chamberlain, Kriegsaufsätze.

□

Armeebefehl des Kronprinzen von Bayern.

Soldaten der sechsten Armee!

Wir haben nun das Glück, auch die Engländer vor
unserer Front zu haben, die Truppen jenes Volkes, dessen
Neid seit Jahren an der Arbeit war, uns mit einem Ring
von Feinden zu umgeben, um uns zu erdrosseln. Ihm
haben wir diesen blutigen, ungeheuren Krieg vor allem
zu verdanken. Darum, wenn es jetzt gegen diesen Feind
geht, übt Vergeltung für die feindliche Hinterlist, für
so viele schwere Opfer. Zeigt ihnen, daß die Deutschen
nicht so leicht aus der Weltgeschichte zu streichen sind,

40

zeigt ihnen das durch deutsche Hiebe von ganz besondrer
Art. Hier ist der Gegner, der der Wiederherstellung des
Friedens am meisten im Wege steht. Drauf!

  28. Oktober 1914.   Ruprecht.

□

Der moralische Verfall Englands hat sich seit dem
Beginn des gegenwärtigen Krieges in erschreckendem
Maße offenbart: Verlogenheit, Roheit, Gewalt=
tätigkeit, Prahlerei, dabei aber Mangel an
Haltung, Würde, Gerechtigkeitssinn, Mann=
haftigkeit: es ist ein trauriger Anblick. Nun lasse man
die immensen Kolonialreiche und auch die anderen Län=
der englischer Sprache in die Lage kommen, ebenfalls
Gesinnung und Seele bloßzustellen: man wird mit Ent=
setzen gewahren, welcher Verrohung wir entgegengehen
— der endgültigen Verrohung des ganzen Menschen=
geschlechts.

     Houston Stewart Chamberlain, Kriegsaufsätze.

□

Der Brite.

Der schürt die Zwietracht, wo es geht.
Und bläst vergnüglich in die Glut;
Brennt's in Europa lichterloh, so steht
Sein Rost am Feuer. Ihm ist wohl zumut.

        Simplicissimus.

□

Eine zynischere, ränkevollere Politik durch
Jahrhunderte hindurch hat wohl kein anderer Staat

aufzuweifen, und der in manchen Kreifen Deutfchlands herrfchenden Anglomanie gegenüber ist es notwendig, auf das stärffte zu betonen, daß England in feiner auswärtigen Politif der deutfchen meiftens feindlich gegenüberftand, und daß es überhaupt, wo feine Handelsintereffen, wenn auch noch fo entfernt berührt wurden, Wege einzufchlagen für gut befand, die von denen, welche das Völferrecht zeigt, weit abweichen. Den Beinamen „das perfide England" hat es sich im Laufe der Geschichte aufs redlichste verdient.

Friedrich von Hellwald, „Das Ausland" 1876.

□

England und die Jungfrau von Orleans.

Die englifche Politif befchloß mit jener falten Selbftfucht, welche ihr von jeher eigen gewefen ist, die Vernichtung des neunzehnjährigen Heldenmädchens, das fo Großes für fein Vaterland getan hatte. Das Motiv für diefen Befchluß lag nahe: Die Engländer glaubten dadurch, daß fie die Bannerträgerin des französischen Nationalbewußtfeins mordeten, den durch Johanna hervorgerufenen Auffchwung diefes Nationalbewußtfeins zu 'fniden ... Gegen die falte Bleifauft der engländifchen Staatsraifon und Rachgierde vermochte der Schild der Jungfräulichfeit das Schlachtopfer nicht mehr zu fchützen ...

Eine Verurteilung Johannas durch ein weltliches Gericht hat auch gar nicht stattgefunden. Die Engländer trafen fofort, als das Inquifitionstribunal gefprochen,

42

die Anstalten zur Verbrennung des Opfers und rissen dasselbe ohne weitere Formalität am 30. Mai 1641 von den Schranken des christlichen Gerichtes hinweg auf den schon tags zuvor aufgebauten Scheiterhaufen. Nach dem formalen Rechte mußte Johanna, als ihr am 30. Mai auf dem Altmarkte zu Rouen die Inquisitionssentenz vom 29. feierlich eröffnet wurde, dem weltlichen Richter überliefert werden. Aber das geschah nicht. Die rohe Ungeduld der Engländer ließ es nicht zu.

Johannes S ch e r r, Jeanne d'Arc.

□

... Zu gleicher Zeit hat Großbritannien immer nur eine europäische Großmacht als Gegner bekämpft. Dieser war dann der Feind, und nicht nur der Feind Großbritanniens, sondern der Feind des ganzen Menschengeschlechtes. Es bedeutete den Geist der Unkultur, der Irreligiosität, der Unfreiheit und Unterdrückung und Rückständigkeit, er gefährdete vor allen den Frieden Europas und nicht zum wenigsten das heilige „Gleichgewicht der Macht". Gegen ihn sich einmütig zu erheben, war deshalb die heilige Pflicht jeder europäischen Nation.

Aus Graf E. z u R e v e n t l o w
„Der Vampir des Festlands".

□

43

Die englische Diplomatie.

Ich mache kein Hehl daraus, daß ich nicht zart und sentimental mit Sir Edward Grey umgehe. Es ist wahr, daß ich ebenso leicht ein blutiges Bild seiner ganzen bisherigen Laufbahn hätte malen können. Ich hätte mit seinem ekelhaften Verrate in der persischen Angelegenheit beginnen können. Es ist eine einfache zugegebene Tatsache, wie unsere Diplomatie während des Krieges und vor dem Kriege gearbeitet hat. Aber es würde ein fataler Fehler sein, wenn man dies allein der persönlichen käuflichen Gesinnung des Sekretärs des Auswärtigen Amtes zuschreiben wollte. Nein, ich schleudere meine Angriffe gegen die ganze englische autokratische und geheime Diplomatie, als deren Vater ich Grey betrachte. Bedenken Sie, daß die geheime Diplomatie sich unbedingt zur lügnerischen Diplomatie entwickeln muß, solange in der Kammer gewisse Fragen erlaubt sind, denn es ist leicht, eine Frage in einer solchen Form zu stellen, daß sie zur Zufriedenheit der Regierung beantwortet werden muß. Lord Roberts hat sein ganzes Leben dazu verwandt, um uns klar zu machen, daß Rußland unser erbitterter Feind ist, und Rudyard Kipling hat uns in zahllosen Gedichten und Geschichten vor Rußland gewarnt und uns immer wieder ermahnt, Rußland nie zu trauen. Und jetzt vergießen wir unser Blut, um Rußland zu der stärksten militärischen Autokratie Europas zu machen. Haben wir vergessen, daß, nachdem die Hunnengefahr Jahrhunderte hinter uns lag, Österreich-Ungarn zwischen

44

uns und den Türken stand? Haben wir Sobieski vergessen, ohne den wir jetzt vielleicht als Sklaven in Tripolis oder Algier sitzen könnten? Und doch führen wir Krieg mit Österreich=Ungarn? Ja, wir sind ein hoffnungsloses Volk und fallen von einer Undankbarkeit in die andere. Und wie benehmen wir uns den Deutschen gegenüber? Haben wir alle die braven Hessen vergessen, die für uns Engländer von Marlborough bis Bourgogne so viele Lorbeeren ernteten? Und wie würde es um unsere protestantische Religion in England bestellt sein, wenn nicht der Deutsche Luther zur Welt gekommen wäre? Eine ewige Schande bleibt unser Vorgehen, und wir sollten darüber erröten. Ich sagte, daß der Vertrag von 1839 (der Vertrag über die belgische Neutralität) nicht das Papier wert ist, worauf er geschrieben wurde, und daß wir den Krieg auch erklärt hätten, wenn es diesen Vertrag gar nicht gegeben hätte. Aber jetzt gehe ich sogar noch weiter und behaupte, England hätte auch den Krieg erklärt, wenn z. B. in dem Vertrage ein heiliges Ver= sprechen enthalten gewesen wäre, nie das Schwert gegen Deutschland zu ziehen. . . .

Bernhard Shaw
Aus seinem offenen Brief an „The New Statesman".

□

Politische Nüchternheit.

Zum Gesandschaftsposten in London gehört ein Geierblick, der die Ränke des perfiden Albions zeitig genug auszuspionieren weiß, oder ein ganz unwissenschaft=

licher derber Bursche, der keine gelehrte Sympathie für
die großbritannische Regierungsform, keine höflichen
Speeches in englischer Sprache zu machen versteht, aber
auf Französisch antwortet, wenn man ihn mit zwei=
deutigen Reden hinhalten will. —

Sind aber die Engländer in der Politik wirklich so
ausgezeichnete Köpfe? Worin besteht ihre Superiorität auf
diesem Felde? Ich glaube, sie besteht darin, daß sie erz=
prosaische Geschöpfe sind, daß keine poetischen Illusionen
sie irreleiten, daß keine glühende Schwärmerei sie blendet,
daß sie die Dinge immer in ihrem nüchternsten Licht
sehen, den nackten Tatbestand fest ins Auge fassen, die
Bedingnisse der Zeit und des Ortes genau berechnen und
in diesem Kalkül weder durch das Pochen ihres Herzens,
noch durch den Flügelschlag großmütiger Gedanken ge=
stört werden. Ja, ihre Superiorität besteht darin, daß
sie keine Einbildungskraft besitzen.

Heinrich Heine.

□

41 Kriege Englands in 76 Jahren.

Das „humane England", das friedliebende Eng=
land" und ähnliche Redensarten hören wir während
dieses Krieges fortwährend. Daher dürfte es wie eine
kleine Überraschung wirken, wenn wir vernehmen, daß
Großbritannien eine Nation ist, die in 76 Jahren 41 Kriege
geführt hat. 41 Kriege in 76 Jahren können nur
von einem Volk geführt werden, das fremde
Länder erobern und fremde Völker unter=

46

werfen will. Und da wird stets von dem militaristischen, blutdürstigen und barbarischen Deutschland geredet! Es handelt sich um folgende Kriege:

Gegen Rußland 1854, gegen Afghanistan 1841, 1849 und 1878, gegen China 1841, 1849, 1856 und 1860, gegen die Sikhs 1845 und 1848, gegen die Kaffern 1845, 1851 und 1877, gegen Birma 1850, 1852 und 1885; dazu kommen neun Kriege in Indien zwischen 1857 und 1897; drei Kriege gegen die Aschantis 1864, 1873 und 1896, gegen Abessinien 1867, gegen Persien 1852, gegen die Zulus 1878, gegen die Basutos 1879, gegen Ägypten 1882, drei Kriege im Sudan, 1894, 1896 und 1899, ein Krieg in Sansibar 1890, ein Krieg gegen die Matabele 1894, zwei Kriege gegen die Buren 1881 und 1899 und ein Krieg gegen Deutschland, Österreich und die Türkei 1914.

Man kann sich den Strom von Blut, den England in allen diesen 41 Kriegen in seinem Begehren nach Macht und Reichtum vergossen hat, vorstellen; man kann sich die Qual und das Elend ausmalen, in die England ohne Bedenken Millionen von Menschen einzig wegen seiner Profitsucht stürzte. Oder hat England diese Kriege geführt, um die Buren zu beschützen, den Kaffern Kultur zu bringen, in China und Afghanistan das Christentum auszubreiten und Indien Freiheit und Wohlfahrt zu geben? Wir finden diese Abrechnung in einer alten Nummer der Pariser Zeitung „Matin", derselben Zeitung, die jetzt die wütendsten Angriffe gegen Deutsch=

47

land macht und Lobeshymnen auf den edlen Bundes=
bruder England singt. Dieser selbe „Matin" gab während
des Burenkrieges einen politischen Rückblick auf Eng=
lands kriegerische Unternehmungen und schloß ihn mit
folgenden Worten:

„Und alle diese blutigen Kriege sind zu=
rückzuführen auf die Erwerbsucht des englischen
Krämervolkes."

Professor Dr. Wolfgang Keller
„Das moderne England".

□

Dieses größte Reich, das jemals existiert hat, das
ein Viertel der festen Erde umfaßt und ein Viertel aller
Menschen beherrscht: dieses Reich lebt vom Kriege.
Man wird seit den ersten Anfängen des Weltreichs, um
1600, also seit über 300 Jahren nur ganz selten einmal
finden, daß England 5 Jahre nacheinander keinen Krieg
geführt hat. Aber diese Kriege kosteten dem Lande nur
geringe Summen und machten sich glänzend bezahlt.

Professor Dr. Wolfgang Keller
„Das moderne England".

□

Europa ist gut genug, sein Blut zum Besten
Englands zu vergießen. Helfershelfer und im Solde
von England, das ist Europas Rolle; durch die Bruta=
lität seiner Handlungsweise hat England den Europäern
immer und immer wieder die Fabel „Bertrand et Raton"
(die Kastanien aus dem Feuer holen) vor Augen geführt,

48

sie plappern sie unaufhörlich her, aber verstehen werden
sie sie niemals.

Der französische Historiker Fréderic Masson
im Jahre 1912.

◻

Für England ist der Krieg eine Industrie, eine der
möglichen Arten, reich zu werden, das blühendste Geschäft,
die einträglichste Geldanlage.

John Robert Seely, englischer Geschichtsschreiber.

◻

Der lachende Dritte.

England ward immer mehr Beherrscherin
der Meere und überlegene Kolonialmacht, erst
durch den Zusammenbruch Spaniens, dann
auf Kosten der Niederlande und Frankreichs.
Mit seiner Macht wuchs auch seine Begehrlichkeit.

Die Anfänge seiner Seeherrschaft verdankt England
in erster Linie den Freibeuterzügen und Entdeckungs=
reisen wagemutiger Männer, wie des Italieners Cabot,
der bald in spanischen, bald in englischen Diensten stand,
eines Howard, eines Raleigh, des Weltumseglers Drake,
die, solange mit Spanien äußerlich Friede bestand, ent=
sprechend der vorsichtigen Politik Cecils und Elisabeths
Geiz nur unter der Hand spärliche Begünstigungen ge=
nossen, während nach der Entscheidung von 1588 ihre

Erwin Rosen, Britenspiegel.   4

Beutezüge gegen Spanien, dessen Schiffe und Kolonien
offene Unterstützung erfuhren.

Professor L. Gerber „Englische Geschichte"

口

Die außerordentlich wichtige Felsenfeste Gibraltar,
der Schlüssel des Mittelmeers, das die Engländer seit
1704 in Händen hatten, Minorka, französische Kolonien
in Nordamerika (Neufundland, Neuschottland, die
Hudsonbailänder), dazu die Anerkennung der Thron=
folge des Hauses Hannover, das war der Siegespreis,
der England im Utrechter Frieden 1713 zufiel.

Lord Macaulay.

口

Der Pariser Friede hatte England die Anerkennung
seines Besitzes von Kanada und einiger westindischer
Inseln, dazu von Spanien Florida eingebracht, und unter
Pitts glänzender Führung hatte sich Großbritannien zur
ersten Kolonial= und Handelsmacht erhoben.

Lord Macaulay.

口

Wollte man die bis 1688 heroische und blutige,
später machiavellistische, ränkereiche innere Geschichte
Englands in eine Formel zusammenfassen, man könnte
sie nennen: die Geschichte des Kampfes zwischen den
Vertretern des Adelsstandes und dem Träger der Kö=
nigswürde; keiner dieser beiden Machtfaktoren dachte

50

an Freiheit, jeder wollte nur die Macht an sich reißen. Als Cromwell auftrat, vereinten sich die beiden gegen den einzigen Mann und die einzige Richtung, welche fähig gewesen wären, wahre Freiheit in England zu begründen. Weiterhin war dann der Verlauf — dank der insularen Lage des Landes — sehr einfach, und daraus entstand nun das bis zum Überdruß als unerreichtes Muster gepriesene englische Parlament, in welchem das Unterhaus bis vor wenigen Jahren genau ebenso aristokratisch war wie das Oberhaus. Seit langem wird England von einer Oligarchie regiert; der König ist eine Puppe — wenn er nicht, wie Eduard VII., ein Intrigant ist.

Houston Stewart Chamberlain, Kriegsaufsätze.

□

Im Kampfe gegen die katholische Welt und Seegewalt Spaniens ist Englands Freiheit und Größe emporgewachsen, es ward zeitweilig zum Vorkämpfer und Führer der protestantischen Welt. Und England führte seinen Kampf mit Mitteln, die es festzuhalten gilt. Solange es irgend anging, beschäftigte es den Gegner auf dem Festlande, es verband sich mit dem aufständischen Niederlanden, wie es sich zuvor mit den aufständischen Hugenotten verbunden hatte, es blies alle Wirren an, die Spanien drüben hemmen konnten, es suchte dann das Bündnis mit dem Spanierfeinde Frankreich der letzten Valois, und vollends Heinrich IV. hat es angeknüpft mit dem südeuropäischen Todfeinde

51

□□□

der spanischen Macht, dem Türken, mit jenem Gegner
Spaniens überall. Erst als diese Vorwerke versagten,
nahm es den Streit unmittelbar auf und verwendete
seine eigene Waffe: Das war die Flotte.

Erich Marcks, „Die Einheitlichkeit der
englischen Auslandspolitik."

□

England hat keine der großen europäischen Kriege
des achtzehnten Jahrhunderts willkürlich entfesselt, nicht
den pfälzischen von 1689, und den Spanischen Erbfolge=
krieg von 1701, noch den Österreichischen von 1740, nicht
den Siebenjährigen von 1756 und nicht den Revolutions=
krieg von 1793. Es war an allen beteiligt, es
hat sie natürlich ausgenutzt, sie gelegentlich
wachgehalten, nach seinem Vorteile, so lange
und natürlich nur solange, als dieser es ver=
langte.

Erich Marcks, „Die Einheitlichkeit der
englischen Auslandspolitik."

□

Auch das war die alte Methode: die eine
Kontinentalmacht als Bundesgenosse Britan=
niens gegen die andere, oder die anderen, als
Gegengewicht. Unschädlich geworden, wurde Frank=
reich von seinem alten Feinde benutzt und ausgespielt —
obgleich es völlig zuverlässig doch niemals geworden ist.

Erich Marcks, „Die Einheitlichkeit der
englischen Auslandspolitik."

□

52

Da tat England das letzte. Es brauchte einen kon=
tinentalen Militärstaat als Deckung gegen Rußland.
Deutschland wollte das nicht sein, Österreich war nicht
dazu im Stande: Da warb England um das ras=
senfremde Japan. Es war trotz aller Neuheit und
aller tiefen innerlichen Fährlichkeit des Wagnisses doch
nur das uralte Mittel: Neben der Flotte der Bund mit
dem Feinde seines Feindes. Das Mittel hat gewirkt;
1902 der Vertrag, 1904 und 1905 der Japanisch=russische
Krieg; in ungeahnter Schwäche sank der Koloß vor
dem Stoße Japans zusammen, und England war der
Sieger.

Erich Marcs, „Die Einheitlichkeit der
englischen Auslandspolitik."

□

Unter britischer Führung war 1824 eine englisch=
französisch=russische Flotte nach Navarino gelaufen, wo
die große türkische Flotte lag. Man hatte vereinbart, mit
den Türken zu verhandeln und nur das Feuer zu eröffnen,
wenn die Türken anfingen. Plötzlich fiel ein Schuß, es
ist nie festgestellt worden, von welcher Seite, aber die
Engländer behaupteten, es sei ein türkischer Schuß ge=
wesen. Die Folge war die Vernichtung, man möchte
sagen, die Massakrierung der auf Kampf nicht vorbereiteten
türkischen Flotte. Der englische Admiral hatte schon vor=
her die Instruktion aus London bekommen, während
man im britischen Parlament natürlich alles ableugnete
und das berühmt gewordene Wort sprach: Die Ver=

53

nichtung der türkischen Flotte sei ein „untoward event" gewesen. Es war „leider" nicht mehr zu ändern.

Graf Ernst zu Reventlow
„Der Vampir des Festlandes".

□

Durch die Kriege des europäischen Festlandes ließ England sich ein ungeheures Kolonialreich erobern, das heißt, es raubte dieses Kolonialreich zusammen, weil die gegeneinander gehetzten Festlandmächte auf und über See ohnmächtig waren. Aus demselben Grunde raubte England die Handelsschiffahrt, aus demselben riß es die Tyrannei der Meere an sich und vertrat sie als ein gottgewolltes Recht.

Graf Ernst zu Reventlow
„Der Vampir des Festlandes"

□

Friedrich der Große aber führte seinen Heldenkampf auf dem Festlande, erwarb unvergänglichen Ruhm und — behielt mit Mühe die Grenzen seines kleinen Landes, während England sich durch ihn die Taschen füllen ließ. „Ohne die Siege der preußischen Grenadiere gäbe es heute keinen englischen Welthandel," sagt Schmoller von dieser Zeit.

Graf Ernst zu Reventlow
„Der Vampir des Festlandes".

□

Immerhin ist die Tatsache charakteristisch, daß um das Jahr 1885 England allein und Europa unter

54

deutscher Führung stand, dreißig Jahre später, 1915: Großbritannien als Führer einer europäischen Koalition von nie dagewesener Stärke gegen das isolierte Deutsch= land=Österreich.

Graf Ernst zu Reventlow
„Der Vampir des Festlandes".

□

Mit welchen Mitteln gearbeitet wurde, geht, nur um ein Beispiel zu nennen, aus der nieder= trächtigen Handlungsweise des englischen Arz= tes Mackenzie hervor, der sich nicht entblödete, als Werkzeug der englischen Diplomatie und des englischen Hofes seine Stellung als ärztlicher Vertrauensmann bei Kaiser Friedrich III. zu mißbrauchen.

Graf Ernst zu Reventlow
„Der Vampir des Festlandes".

□

Unter dem Vorwande, die dänische Flotte davor zu schützen, daß sie von Frankreich zum Bündnis gezwungen würde, erschien im September 1807 mitten im Frieden ein englisches Geschwader vor Kopenhagen und verlangte die Auslieferung der neu= tralen dänischen Flotte. Als Dänemark sie verweigerte, wurde Kopenhagen bombardiert, wobei 2000 Bürger umkamen, und endlich die gesamte dänische Flotte zwangs= weise fortgeführt. Dänemark war als Seemacht vernichtet. Dasselbe England, das diesen Seeräuberstreich triumphierend in seinen Geschichtsbüchern als stolzen

55

Sieg bucht, besaß ein halbes Jahrhundert später die beispiellose Frechheit, das Verschwinden der ersten deutschen Kriegsflagge aus der Nord= und Ostsee zu fordern, da es sie sonst als Piratenflagge behandeln werde!

Alfred Geider, „Das perfide Albion."

◻

England und die Türkei.

Ich spreche keinen Widersinn aus, wenn ich betone, daß dieselben Gründe, die England einstmals zum Kampf gegen die Russen getrieben haben, es heute antreiben, sich mit den Russen zum Kriege gegen uns und unsere Verbündeten zu vereinigen. Es ist leicht, diese Behauptung zu beweisen. So sehr, wie die Bemühungen der Russen dahin gehen, einen Ausgang zum freien Meere zu erlangen, so sehr vereinigen die Engländer ihre Kräfte, um sich zu Herren des Meeres zu machen und um zugleich mittels des Seeweges den Weltmarkt zu beherrschen. Auf der anderen Seite führte die Gefahr eines russischen Eindringens in Indien England dazu, mit uns in guten Beziehungen zu leben. Aber da die Gründung eines mächtigen japanischen Reiches im äußersten Osten und dessen Bündnis mit England die moskowitische Gefahr beseitigten, glaubte England, daß es uns gegenüber keine Rücksichten und keine Schonung mehr zu haben brauche.

Der türkische Minister des Äußeren Halil Bey am 29. April 1916.

◻

56

Indien.

Ohne Frage verdankt England seine Herrschaft in Indien in erster Reihe Warren Hastings, der es mit machiavellistischer Klugheit verstand, die verschiedenen Landschaften und Stämme und Bekenntnisse und Königshäuser Indiens gegen einander auszuspielen, und außerdem sie alle gegen den Wettbewerb der Franzosen aufzureizen. Neben eminenter Verstandeskraft und eisernem Willen, hat nun Warren Hastings vor allem das eine ausgezeichnet, daß er in politischen Dingen keine Bedenken kannte. Mit Tyrannen wie Tibu Sahib, mit Verbrechern, die sich aus tiefsten Kasten zu Fürsten aufgeschwungen hatten und nun wie wilde Tiere über die geduldigen Inder herrschten, mit allen Hexenfürstinnen, die ihre eigenen Söhne im Verlies hielten, um länger im Blute ihres Volkes zu schwelgen, kurz, mit der schlimmsten Rotte asiatischer Unmenschen, denen das arme Indien verfallen war, hatte er es zu tun.

Houston Stewart Chamberlain, Kriegsaufsätze.

◻

Indien mußte Indiens Unterjochung bezahlen. Und so suchte Warren Hastings unter den

57

rivalifierenden Fürften diejenigen aus, welche ihm die höchften Geldleiftungen verfprachen; diefe unterftützte er mit allen jenen Mitteln, die ein Europäer zur Hand hatte. Auf diefe Weife hatte er die Einnahmen der Oftindifchen Gefellfchaft faft verdoppelt. Wie aber war das möglich? Wie konnten die betreffenden Fürften fo große Zahlungen leiften und fo zahlreiche Soldaten ftellen? Durch fo entfetzenerregende Graufamkeiten, daß die Welt von nichts Aehnlichem gehört hat, bis die lieblichen Belgier kürzlich das Kongobecken befetzten; Graufamkeiten, welche ewige Schande über den Begriff des Menfchentums gebracht haben; denn kein Tier könnte fie fich ausdenken und kein Teufel dürfte fie an Unfchuldigen ausüben.

Houfton Stewart Chamberlain, Kriegsauffätze.

□

Krämerarbeit.

Wer vermag die Kaufmannsfeelen zu lieben, wenn er an die fchaubererregende Behandlung der fanften Indier denkt? Drei Millionen ftarben 1769 binnen fechs Wochen den Hungertod, weil es einer Krämergilde, die zur Schande Großbritanniens hier Souverän ift, gefallen hatte, bei Reismißwachs Kornwucher zu treiben. Fox fchloß einmal eine feiner Parlamentsreden: „Wir haben keine englifche Regierung in Indien, wohl aber eine indianifche in England."

Karl Julius Weber, Demokritos.

□

58

Vieles, ja alles faul.

In der Verwaltung der Ostindischen Kompagnie war vieles, ja alles faul: von den obersten bis zu den untersten Stellen waren alle Beamten von der Sucht ergriffen, sich mit erlaubten und unerlaubten Mitteln in kürzester Zeit zu bereichern, und dann den Rest der Tage in England als „Nabobs" zu verleben. Das Land wurde in furchtbarer Weise ausgesogen.

Hans F. Helmolt, Weltgeschichte.

□

In Kalkutta wurden unermeßliche Vermögen rasch zusammengehäuft, während 30 Millionen menschlicher Wesen bis auf die äußerste Stufe des Elends herabgedrückt wurden. Sie waren daran gewöhnt, unter der Herrschaft von Tyrannen zu leben, aber niemals hatten sie eine Tyrannei erlebt wie diese.

Th. B. Macaulay, „Lord Clive".

□

„Meine Lords!"

„Ich klage Warren Hastings an im Namen der ewigen Gesetze aller Gerechtigkeit, ich klage ihn an im Namen der Menschennatur, die er mit Schimpf bedeckt hat. Meine Lords, wenn Sie diesen Schändlichkeiten gegenüber die Augen verschließen, dann machen Sie aus uns Engländern eine Nation von Hehlern, eine Nation von Heuch-

59

lern, eine Nation von Lügnern, eine Nation von Falschspielern; der Charakter Englands, der Charakter, der — mehr als unsere Waffen und mehr als unser Handel — aus uns eine große Nation gemacht hat, der Charakter Englands wird vernichtet sein, auf ewig verloren. Gewiß, auch wir kennen die Macht des Geldes, und wir fühlen sie; gegen sie aber legen wir Berufung ein bei Euren Lordships, damit Sie Gerechtigkeit üben, damit Sie unsere Sitten und unsere Tugenden retten, damit Sie unseren Nationalcharakter und unsere Freiheit beschützen!"

Edmund Burke.

□

Pitt, der als Premierminister die Akten kannte, sagte: „Es gibt nur eine Rettung: Hastings muß die Staatsnotwendigkeit vorschützen."

□

Warren Hastings wurde freigesprochen.

□

Die Strafe der indischen Meuterer.

... Die Gefangenen wurden der Meuterei schuldig befunden und zum Tode verurteilt. Chamberlain bestimmte, daß sie vor der Kanone erschossen würden und zwar in Gegenwart ihrer Kameraden, weil dies das

60

furchtbarſte Schauſpiel ſei, das man ſich denken könne, ohne den Delinquenten zu quälen, alſo doch human. Es wurde ſofort eine Parade angeordnet. Die Truppen ſtellten ſich auf den drei Seiten eines Vierecks auf. An der vierten Seite waren zwei Kanonen aufgefahren. Als die zwei Gefangenen herzugeführt wurden, frug mich da der eine, ob ſie von der Kanone erſchoſſen würden. Ich antwortete ihm ja. Er machte keine Bemerkung weiter und beide gingen in aufrechter und feſter Haltung, bis ſie zu den Kanonen gelangt waren. Sie wurden vor die Rohre gebunden ... Das Kommando ertönte; mit dumpfem Knall löſten ſich zwei Schüſſe und beförderten die Meuterer in die Ewigkeit. Es war ein ſchrecklicher Anblick, den man für Wochen im Gedächtnis behielt, aber dies war ja die Abſicht.

Lord Roberts, „41 Jahre in Indien".

□

In dem großen indiſchen Aufſtand, durch deſſen Anzettelung Rußland England für den Krimkrieg dankte und nach deſſen Unterdrückung erſt das anglo=indiſche Reich geſchaffen wurde, waren engliſche Frauen und Kinder von den Empörern ſcheußlich abgeſchlachtet worden.

Die Engländer vergalten dieſe Grauſamkeiten mit noch ausgeſuchteren. Man konnte in den Londoner illuſtrierten Blättern ſehen, wie die Sepoys vor die Kanonen gebunden und dann in die Luft geblaſen wur= den. Dadurch nahm man ihnen nach ihren Begriffen

61

□□

das Jenseits, denn die Fortdauer resp. das Wiedererstehen
des toten Körpers ist nach dem vorherrschenden Hindu-
glauben an dessen äußere Vollständigkeit geknüpft. General Neil ließ schuldige Inder Blutlachen wegfegen,
bevor sie erschossen wurden, und bemerkte in seinem Tages-
befehl ausdrücklich dabei, dies geschehe, weil sie dadurch
nach ihrem Glauben für ewig verunreinigt würden.

Das Schwarzbuch 1915.

□

Auf meinem Rückweg — vom König in Delhi —
war ich ziemlich bestürzt, auf den Steinplatten des Kot-
wali die drei leblosen Körper von des Königs beiden
Söhnen — und eines seiner Enkel zu erblicken. Als ich
Erkundigungen einzog, hörte ich, daß Major Hudson
nochmals zu dem Grabe gegangen sei, um dort die Prin-
zen gefangen zu nehmen, und daß er sie auf dem Rückweg mit eigener Hand erschossen hätte ...

Lord Roberts, „41 Jahre in Indien".

□

Es gab für die Rebellen — in Lucknow — keine
Rettung, und sie fochten deshalb mit der Verzweiflung
von Männern, die keine Hoffnung auf Gnade haben und
entschlossen sind, ihr Leben teuer zu verkaufen. Fuß
für Fuß wurden sie nach dem Pavillon zurückgedrängt,
und zwischen diesem und der Mauer erschossen oder mit
dem Bajonett erstochen. Dort lagen sie bis zur Mannes-
höhe aufgehäuft, eine schreckliche Masse von Toten und

62

Sterbenden in wirrem Durcheinander. Es war ein furcht=
barer, ekelerregender Anblick ... Endlich waren alle
Rebellen getötet, außer vielleicht drei oder vier.

Lord R o b e r t s , „41 Jahre in Indien".

◻

Der Plan.

Dazu muß zu aller Schande sich das bri=
tische Volk von einem Staatsmann wie Lord
Ellenborough den schimpflichen Rat erteilen
lassen, man möge vor allen Dingen verhü=
ten, daß sich die Hindus europäische Kennt=
nisse oder europäische Gesinnungen aneignen,
weil sie dann die Herrschaft der Briten mit
einem Hauch ausblasen könnten.

„Das Ausland", 1858.

◻

Die Ausführung:

Die Regierung Indiens ist so willkürlich
und eigenmächtig, wie die Regierung Ruß=
lands nur je war, und in zweierlei Hinsicht
ist sie sogar schlimmer: Erstens liegt die Verwal=
tung in den Händen eines fremden Volkes, während
die russischen Beamten Russen sind. Zweitens wird
ein großer Teil der Steuern dem Lande entzogen, wäh=
rend die russische Regierung die dem Volke auferlegten
Beiträge im eigenen Lande ausgibt. Ein dritter Nach=
teil im Vergleich mit Rußland besteht darin, daß, wäh=

63

renb ber Zar eine gesetzgebende Körperschaft geschaffen hat, England ben Indiern eine parlamentarische Vertretung ober konstitutionelle Regierung fortgesetzt verweigert.

Das indische Volk ist besteuert, hat aber über die Höhe der Steuer ober über den von dem Staatseinkommen gemachten Gebrauch nichts zu sagen. Es bezahlt ungefähr 225 000 000 Dollars das Jahr an die Regierung und von dieser Summe werden 100 000 000 Dollars für eine Armee ausgegeben, in der die Indier nicht höhere Offiziere werden können. Die Kosten für die innere Verwaltung verschlingen ein Drittel der Steuern. Ungefähr 100 000 000 Dollars fließen England alljährlich aus Indien zu, und über 15 000 000 Dollars werden an europäische Zivilbeamte ausgezahlt. Welche Nation könnte eine solche Schwächung ertragen, ohne zu verarmen? Indien ist im Verhältnis zu dem Einkommen der Bevölkerung beinahe zweimal so hoch besteuert wie England. So groß waren die Unterdrückung, die Ungerechtigkeit und die Belastung der Hilfsquellen des Landes, daß Hungersnöte immer häufiger und schwerer wurden.

Aus einer Schrift des früheren amerikanischen Staatssekretärs William J Bryan.

□

64

Die englische Erziehung in Indien.

In vorbritischen Tagen hatte jedes Dorf in Indien seine Elementarschule, wo Lesen, Schreiben und Rechnen gelernt wurden. Tausende von Studenten genossen höhere Ausbildung an den vom Staate unterstützten Universitäten, welche auch für den gesamten Lebensunterhalt der Studierenden sorgten. Gegenwärtig hat, wie die Engländer selbst zugeben, von je fünf Dörfern kaum eines noch eine Schule, wobei zu berücksichtigen ist, daß 90 Prozent der Bevölkerung in Dörfern leben. 80 Prozent sind in ihrem Lebensunterhalt auf die Landwirtschaft angewiesen, und im ganzen Lande ist den indischen Bauern nicht eine Ackerbauschule zugänglich. Die Japaner haben es fertig gebracht, innerhalb von 45 Jahren 95 Prozent ihrer Bevölkerung schulmäßig zu bilden; die Amerikaner haben innerhalb von 40 Jahren mehr als 65 Prozent ihrer Negerbevölkerung gehoben; in Indien dagegen können jetzt, nach 150 Jahren britischer Herrschaft, von 100 Männern 90 nicht lesen und schreiben, von 100 Frauen weniger als 99. England hat also bewußt Indien geistig niedergehalten, um die Masse der wirtschaftlichen und politischen Knechtschaft auszuliefern.

Der Hinduschriftsteller Basanta Koomar Roy im „Fatherland", New-York.

□

Das wirtschaftliche Wohlergehen.

Indien war in alten Zeiten das reichste Land der Welt, dessen Schätze die Eroberer Europas und Asiens anlockten. Heute ist es das ärmste Land der Erde. Seine Industrien, die Quellen des früheren märchenhaften Reichtums, sind durch die ungerechte Gesetzgebung des britischen Parlaments zerstört worden. Nichtenglische Waren unterliegen Einfuhrzöllen von sechs bis sechshundert Prozent: eine große Anzahl von in Indien selbst hergestellten Artikeln sind mit 10 bis 20 Prozent besteuert. Durch solche und ähnliche Mittel hat England die Heimindustrie, mit der es nicht zu gleichen Bedingungen ringen konnte, planmäßig unterdrückt. Noch heute müssen die indischen Baumwollspinnereien $3^{1}/_{2}$ Prozent Abgabe auf ihre Erzeugnisse leisten. Nach einer Feststellung von Sir William Digby, einem hervorragenden Kenner des indischen Wirtschaftslebens, ist die indische Bevölkerung dreimal höher besteuert als die englische und viermal höher als die schottische. Die einträglichen Stellungen im Staats- und Militärdienst sind fast ein Monopol der Engländer. Von 1064 höheren Beamten in der indischen Zivilbevölkerung sind tausend britisch.

An Einkünften preßt England jährlich 600 bis 800 Millionen Mark aus Indien heraus. Sir William Digby hat nachgewiesen, daß um 1850 herum das durchschnittliche Tageseinkommen des Hindus 4 Cent war, um

66

1880 3 Cent und daß 'es seitdem auf $1^1/_2$ bis 1 Cent herabgesunken ist.

Der Hinduschriftsteller Basanta Koomar Roy im „Fatherland", New-York.

□

Die politischen Rechte.

Das Lesen oder Singen von Nationalhymnen wird bestraft; den Lehrern und Professoren sind Vor= träge und Erörterungen über indische Politik und Wirt= schaft untersagt; die Erlaubnis zu öffentlichen oder pri= vaten Versammlungen muß sieben Tage vorher einge= holt werden; die einheimischen Druckereien wurden be= schlagnahmt und Hunderte von indischen Schriftleitern, Rechtsanwälten, Doktoren, Lehrern und Kaufleuten sind ins Gefängnis gesteckt worden. Die Aufführung von Dramen, in welchen die alte Größe Indiens dargestellt wird, ist verboten. Aus öffentlichen Gebäuden und Privathäusern werden die Bilder von indischen Führern gewaltsam entfernt. Englische Waren werden den Be= wohnern entlegener Ortschaften durch Bedrohung mit bewaffneter Macht aufgezwungen. Selbst die Waffen, welche zur Verteidigung gegen die wilden Tiere die= nen sollen, werden den Bewohnern weggenommen.

Der Hinduschriftsteller Basanta Koomar Roy im „Fatherland", New-York.

□

67

Irland.

□

Die Unterdrückung.

Die Unkenntnis irischer Verhältnisse auf dem Kontinent ist vielfach so groß, daß mir nicht selten die erstaunte Frage vorgelegt wurde, warum denn Irland gegen England sei. Ein Blick in die Geschichte genügt, um das Absurde einer solchen Frage zu zeigen. Sehr bezeichnend schreibt Mr. Guire über die Beziehungen Irlands zu England:

England wird stets der alleinige Feind Irlands bleiben. Der wirtschaftliche und industrielle Druck macht England zum natürlichen und logischen Zerstörer der irischen Industrie und des irischen Handels. Aus reinem Selbsterhaltungstriebe erlaubt England nicht, daß Irland sich frei entwickeln kann. Nur als Lieferant für Feld= und Gartenfrüchte, für Vieh und Rohstoffe, die der englischen Bevölkerung zugute kommen, wird es geschätzt. Und doch birgt unsere herrliche, grüne Insel alles in sich, um sie zur ungeheuren Fruchtbarkeit und zur Entfaltung einer mächtigen Industrie emporzuheben. England mißt 58 000 englische Quadratmeilen, Irland 33 000, die Bevölkerung Englands aber umfaßt 35 000 000, während Ir=

68

land auf 4 000 000 Millionen herabgesunken ist. (Vor fünfzig Jahren noch acht Millionen.)

Mit Leichtigkeit könnte die grüne Insel fünfzehn Millionen ernähren. Aber alle ihre Industrien sind brachgelegt worden, ihr Handel zerstört. Als die irische Wollfabrikation die englischen Fabrikanten beunruhigte, setzten sie es durch, daß das Parlament einen Ausfuhrzoll auf irische Wolle festsetzte, der mit einem Schlage die Industrie vernichtete. Kein Stück Vieh, kein Produkt der Erde darf von Irländern direkt verkauft werden, es muß immer erst den Weg nach England nehmen, um dort von einem Agenten losgeschlagen zu werden. Das ganze Volk ist von England geknechtet, und die intelligente Jugend geht entweder zu Hause zugrunde oder flüchtet sich ins Ausland.

□

Das englische Buch Josua.

Zunächst fiel er — Oliver Cromwell — auf Irland, zermalmend, wie der Hammer des Thor. Mit 12 000 seiner kriegerischen Heiligen, auserlesenen Veteranen, schiffte er nach der Insel hinüber, deren Smaragdgrün bald von breiten Blutstreifen durchzogen ward. Charakteristisch ist, daß vor der Abfahrt das Heer einen strengen Buß-, Bet- und Fasttag feierte, an welchem der General selber verschiedene Bibeltexte auslegte. Es steht zu vermuten, daß es solche gewesen, worin den Kindern Israel von ihrem Jahve-Moloch befohlen wird, mit Eisen und

69

Feuer Vernichtung über die Stämme von Moab, Edom und Amalek zu bringen. In diesem Stile ist denn auch der Krieg geführt worden, nachdem Cromwell am 24. August 1649 von Dublin aus sein Kriegsmanifest erlassen hatte. Die irischen Katholiken und Royalisten waren in den Augen der Krieger Cromwells in der Tat Amalekiter und Moabiter, Empörer gegen Gott, Kinder satanischer Finsternis, Heiden und Götzendiener, welche weggetilgt werden mußten vom Angesichte der Erde. Die Erstürmung von Drogheda am 10. September könnte mit Ehren im bluttriefenden Buche Josua stehen. Es war eine echt alttestamentliche Schlacht= und Vernichtungsszene.

Johannes S ch e r r, „Cromwell."

□

In Irland hatte bekanntlich schon Cromwell die gaelische, größtenteils königlich gesinnte und katholische Bevölkerung mit entsetzlicher Grausamkeit behandelt. Sein Schwiegersohn Jreton, dem er nachher seine Stelle überließ, verfuhr noch weit härter. Die Geschichte der Grausamkeiten, welche unter Cromwells Leitung von Jreton und dessen Nachfolgern begangen wurden, der Einziehung und Entvölkerung ganzer Grafschaften, der Versetzung ihrer Bewohner in andere Gegenden und der Verkaufung vieler Irländer als Sklaven auf die westindischen Inseln, ist für das Verhältnis der Irländer zu den Engländern und der Katholiken Irlands zu den Pro=

70

testanten dieser Insel bis auf unsere Tage von der größ=
ten Bedeutung.

F. Chr. Schlosser, „Weltgeschichte".

□

Die Knechtung.

Die Hauptmasse des irischen Grundbesitzes befand
sich stets in den Händen der unter Cromwells Herrschaft
in Irland angesiedelten puritanischen Familien, deren
Vorfahren die ihnen angewiesenen Ländereien unter
der besonderen Stipulation empfangen hatten, daß die=
selben nie an Katholiken veräußert werden sollten. Die
großen Grundbesitzer wurden dadurch von vornherein
nicht allein als herrschende Kaste, sondern als fremde
Eindringlinge, als Vertreter einer intoleranten Reli=
gionsform in ein keiner Vermittlung fähiges feindliches
Verhältnis zu dem irischen Volk gesetzt ... So leicht
der Besitz errungen war, so leichtsinnig wurde er in vielen
Fällen verschleudert. Nur eine verhältnismäßig geringe
Anzahl der Grundbesitzer sah in dem eroberten Lande
eine dauernde Heimat. Die meisten absentierten sich,
übertrugen die Verwaltung der Güter fremden Agenten
und verzehrten ihre Einkünfte überall eher als in Irland.
Verwahrlosung und Belastung der Güter durch drückende
Hypotheken, Mangel an Kapital zur Ausführung der
nötigen Verbesserungen, Erhöhung des Pachtzinses und
entsprechende Verarmung der kleineren Landsassen war
die Folge.

71

Es war nicht zu verwundern, wenn ein solcher Zu=
stand der Dinge in der Not des Volkes, in der Verarmung
der Grundherrn, in dem Haß der Kelten gegen die unter=
drückenden Angelsachsen, in oft wiederholten Aufstands=
versuchen, in agrarischen Verbrechen aller Art seine
Früchte trug. ... Den meisten blieb kein anderes Mittel,
ihre Lage zu verbessern, als die Auswanderung. Eine
Auswanderung des irischen Volkes fand denn auch in
den der großen Hungersnot von 1845—1847 folgenden
Jahren in einem zuvor unerhörten Maßstabe statt. In
keinem anderen Lande war in neuerer Zeit etwas Ähn=
liches erlebt worden. Es schien die Auswanderung eines
ganzen Volkes; man erinnerte sich dabei des Zugs der
Israeliten aus Ägypten.

Aus Friedrich Althaus, „Irland und die Fenier".

□

Die Gesamtbevölkerung Irlands betrug zu Anfang
der 1830er Jahre ungefähr 8 Millionen Seelen. Mehr
als 7 Millionen waren Katholiken, und zwar eifrige,
leidenschaftliche Katholiken. ... Nichtsdestoweniger be=
fand sich das ganze ehemalige Vermögen der katholischen
Kirche Irlands in dem Besitze der anglikanischen Geist=
lichkeit, die vor und nach Cromwells Zeiten ebenso auf
Kosten des unterworfenen Volks war bereichert worden,
wie die eingewanderte anglikanische Aristokratie. Und
um das Maß der Unterdrückung voll zu machen, zahlte
das katholische Volk eine Zehntabgabe an die reich=
dotierten Seelsorger der protestantischen Minorität

72

während die ihres alten Besitzes beraubte katholische
Geistlichkeit von jeglicher Staatshilfe ausgeschlossen war.
Ein krasserer Mißbrauch der Macht ließ sich
wohl nicht denken.

Friedrich Althaus, „Irland und die Fenier".

◻

Die Flucht vor englischer Tyrannei.

Eure Unterdrückung hat sie — die Iren und die
Quaker — nach Amerika gebracht. Sie flohen vor Eurer
Tyrannei nach einem damals noch wilden unbebauten
Land, wo sie allem Ungemach trotzen, das die menschliche
Natur kaum zu erdulden vermag. Wie? sie wären ge-
nährt durch die englische Milde? Sie kamen empor trotz
des absoluten Mangels Eurer Milde. Ihr habt Leute
nach Amerika gesandt, deren Fürsorge für die Amerikaner darin bestand, sie Kraft ihres Amtes zu beherrschen
und auszuplündern.

Oberst Barre 1774 im englischen Unterhaus.

◻

Traurige irische Zahlen.

Die irische Bevölkerung, die am Anfang des 19. Jahrhunderts noch über $8\frac{1}{2}$ Millionen betrug, war bei der
letzten allgemeinen Volkszählung (1911) nicht mehr ganz
4,4 Millionen stark. Ist diese absolute Verringerung der
Bevölkerung der grünen Insel schon sehr beträchtlich, so
ist die relative Abnahme geradezu erschreckend. Im

73

□□

Jahre 1851 machte die Bevölkerung Irlands 23,7 Prozent der Gesamtbevölkerung Englands, Schottlands und Irlands aus. Im Jahre 1861 waren es nur noch 19,8 Prozent, zehn Jahre später nur noch 17 Prozent, im Jahre 1881 nur 14,6 Prozent, wieder zehn Jahre später 12$\frac{1}{2}$ Prozent, am Beginn des neuen Jahrhunderts 10,7 Prozent, und endlich bei der letzten Volkszählung von 1911 nur noch 9,8 Prozent. Der Anteil Irlands an der Gesamtbevölkerung des europäischen Großbritanniens ist also seit 60 Jahren unaufhörlich herabgegangen und von nahezu einem Viertel auf noch nicht ein Zehntel gesunken. Dies ist zum Teil auf sehr erhebliche Auswanderung, zu einem andern Teile aber auch auf die im Verhältnis zu England und Schottland geringere natürliche Bevölkerungsvermehrung (Überschuß der Geburten über die Todesfälle) zurückzuführen.

□

April des Jahres 1916:

Ich werde nie den Tag vergessen, an dem der Aufstand ausbrach. Die Straßen waren von singenden Volksmengen gefüllt, Fremde fielen sich um den Hals und nannten sich Brüder. Die Aufständischen kämpften mit Fanatismus, selbst Frauen und Kinder. Die Seele des Aufstandes war James Conolly, in Amerika arbeitete Jim Larkin.

Bericht des spanischen Ingenieurs Manuel Campans.

□

74

Die Greuel im Mai.

Bis zum 27. Mai sind 15 der irischen Freiheits=
kämpfer durch kriegsgerichtliches Urteil erschossen, 6 auf
Lebenszeit ins Gefängnis geschickt worden, während an
Gefängnis= und Zuchthausstrafen im ganzen 645½ Jahre
verhängt worden sind und noch 2900 Gefangene der Ab=
urteilung harren. Kaum hat sich die Welt an diese eigen=
artigen Bekundungen englischer Freiheitsliebe gewöhnt,
da ertönen bereits aus Irland und England die Klagen,
daß England, das einst auszog, um den Militarismus
auf der Welt niederzuschlagen und der leidenden Mensch=
heit den ewigen Frieden zu bringen, bei der Niederschla=
gung des Aufstandes in Dublin in einer Weise „mili=
taristisch" zu Werke gegangen ist, daß die Methoden der
englischen Truppen wohl noch lange zu den abschreckenden
Schulbeispielen der Friedensfreunde auf der ganzen
Welt gehören werden. Wir nehmen nicht ohne weiteres
alles als bare Münze an, was irische Blätter und auch
Korrespondenten neutraler Zeitungen an schauerlichen
Einzelheiten von Erschießung und Mißhandlung wehr=
loser Passanten auf der Straße zu berichten haben; wir
wollen nur einzelne von den Fällen herausgreifen, die
von irischen Abgeordneten im Parlament vor=
gebracht worden sind und auf die die Regierung
keinerlei genügende Entschuldigung hatte. Der Abge=
ordnete Healy mußte von einem Falle zu berichten, wo
Soldaten in einen Laden eindrangen und vier
Männer namens Lawleß, Finnegan, Hoey und Mac

75

Cartney auf die Straße zerrten, dann erschossen und im Hofe begruben, ohne daß bei den Gefangenen oder im Hause Waffen gefunden wurden; wohl aber wurde bei Ausgrabung der Leichen entdeckt, daß Geld, Ringe und Uhren ihnen gestohlen waren. Der Abgeordnete Ginnell behauptete in der gleichen Sitzung, daß kleine Knaben und Mädchen, die angstvoll auf der Straße umherliefen, von Soldaten ergriffen und erschossen wurden, unter dem Vorwande, daß sie im Begriff gewesen seien, Meldungen an die Rebellen zu überbringen. Bei verschiedenen Gelegenheiten, so am 11. und 18. Mai, hat der Abgeordnete Ginnell behauptet, daß 50 Mann ohne gerichtliches Urteil an eine Kasernenmauer gestellt und erschossen worden sind; ihre Leichen wurden nach dem Friedhofe von Glasnevin gebracht und mit größter Eile begraben, ohne daß man einen Versuch gemacht hätte, die Persönlichkeiten festzustellen. Der Ministerpräsident hat selbst zugeben müssen, daß der Journalist Sheehy-Skeffington, der keine Waffen trug und in keiner Weise an dem Aufstand beteiligt war, ohne jeden Grund verhaftet und erschossen wurde, und vom Ministertisch fiel kein Wort der Entgegnung auf die Behauptung, daß der Ärmste auf dem Kasernenhofe noch mehr als eine Stunde nach der tödlichen Salve in Todeskrämpfen herumkroch, während mehrere Offiziere mit Behagen dem gräßlichen Schauspiele zusahen, daß dann weiter bei der Witwe des Erschossenen eine vergebliche Haussuchung stattfand, deren Beginn den

76

Hausbewohnern dadurch angezeigt wurde, daß die Sol=
daten ohne jeden Grund eine Salve durch die geschlossenen
Fenster feuerten. Wenn englische Truppen, angeblich
die diszipliniertesten und humansten der Welt, im eigenen
Lande so hausen, so kann man sich vorstellen, was aus
den unglücklichen Deutschen einst werden würde, wenn
die große Prophezeiung Lord Curzons in Erfüllung
ginge und die Gurkhas in Potsdam ihr Lager aufschlügen,
während die bengalischen Lanzenreiter triumphierend
Unter den Linden einzögen!

Amtliche deutsche Veröffentlichung (W. T. B.), 7. Juni 1916.

◻

England gegen Irland 1916.

„Freiheit für die kleinen Völker!" Der Geist Irlands
läßt sich nicht unterdrücken. Darum schafft ihm England
einen Friedhof, auf dem er umgehen kann.

Simplicissimus.

◻

Sir Roger Casement.

Nach Meldungen ausländischer Blätter ist Sir
Roger Casement in Irland gefangengenommen
worden.

So hat sich denn das Geschick des kühnen Irenfüh=
rers Sir Roger Casement, der an der Befreiung seines
Vaterlandes, der grünen Kelteninsel, vom jahrhunderte=
langen Druck der brutalen englischen Herrschaft mit=
zuarbeiten suchte, tragisch erfüllt: er ist in die Hände

77

seiner Todfeinde gefallen, und es scheint sich an ihm der Grundcharakter, den man von alters dem Irenvolke zuschreibt: Kühnheit, gepaart mit Mangel an Besonnenheit, zu bewahrheiten. Denn Casement hätte vielleicht der letzte sein sollen, sich in eine Zone des Krieges zu wagen, die seine Gefangennahme durch die Engländer nicht ausschloß. Sein sichtbarer Eintritt in den Weltkrieg wurde ja schon dadurch gekennzeichnet, daß die englische Regierung einen Mörder zu dingen suchte, um den eben aus Amerika in Norwegen gelandeten Politiker auf die Seite zu schaffen. Der Vorfall, dessen Kunde im März verflossenen Jahres die ganze Welt durchlief und nur in England zuerst verschwiegen und dann verdreht wurde, ist noch in frischer Erinnerung. Der englische Gesandte in Christiania, Findlay, knüpfte heimliche Beziehungen zu dem Diener Casements, einem norwegischen Seemann, namens Adler Christensen, an und versprach ihm schriftlich 5000 Pfund sowie Straffreiheit, falls er seinen Herrn an England verraten oder ihn hinwegräumen wollte. Die Treue des Dieners rettete dem Irenführer damals das Leben. Später hat Casement, nachdem er in Deutschland Zuflucht gesucht hatte, um freies Geleit nach Christiania nachgesucht, um vor den norwegischen Gerichten gegen Findlay zu klagen und seine Beweisstücke vorzulegen. Aber Findlay und seine Regierung hatten schwerwiegende Gründe, auf dieses Schreiben nicht einzugehen.

Unter welchen Umständen sich die Gefangennahme Casements vollzogen hat, darüber kann heute noch

78

nichts gesagt werden. Die Regierung, in deren Hände
er gefallen ist, stand Casement einst sehr freundlich gegen=
über. Kein anderer, als Sir Edward Grey hat dem
Sir Roger das glänzendste Zeugnis der Befähigung
ausgestellt, das ein Staatsmann nur wünschen kann.
Das war damals, als die englische Regierung Case=
ment nach Afrika entsandt hatte, um Erhebungen über
die Kongogreuel anzustellen. Später wurde Casement
im Konsulardienst beschäftigt, zuletzt in Südamerika.
Kenner der Verhältnisse behaupten, daß Casement der
irischen Sache nie untreu gewesen sei, er gehörte, auch
als englischer Beamter, stets zu den Verfechtern der
Rechte seines Vaterlandes. Seit dem Beginn des Welt=
krieges bekannte sich Casement offen als Gegner der
Politik Greys.*

□

Sieben Jahrhunderte.

Ein Volk, das seit drei Vierteljahrtausen=
den den Kampf gegen die Übermacht auf sich
nimmt, muß Ungeheures gelitten haben. Seit
dem zwölften Jahrhundert hat Aufstand nach Aufstand
das Land zerrissen; jeder neue Sieg des Machthabers
ward Anlaß zu riesenhaftem Landraub; jeder zu kalt=
blütig errechneter Aushungerungspolitik. In diesem
Punkt zum mindesten gleichen die Mittel und Wege des

---

* London, 29. Juni 1916. Casement wurde wegen
Hochverrats zum Tode verurteilt.

79

alten England denen des neuen. Auch in Irland folgte
„der Handel der Flagge"; das heißt: die Macht des Er=
oberers wurde genutzt, die Unterworfenen wirtschaftlich
mit unerhörter Kaltblütigkeit zu knechten. Man nahm
den Bauern ihren Grund und Boden und machte sie zu
Pachtsklaven. Man nahm dem Volk die Religionsfreiheit
und zwang es, einer fremden Kirche zu fronen (das ge=
schah noch bis vor einem halben Jahrhundert). Man
vernichtete planvoll das Gewerbe des Landes, gleichwie
man an Indien tat. Wie auch die Schuld sich auf die Zeiten
und Menschen verteilen mag: eine Herrschaft, der das
Beispiellose gelang, im Europa des 19. Jahrhunderts
das von ihr abhängige Volk auf die Hälfte der Zahl zu
vermindern, ist gerichtet ohne Widerruf. Es gelang
England, sechs sogenannte Aufstände blutig
zu unterdrücken, aber es hat in 7 Jahrhunder=
ten Irland nicht zum lebenden Glied seines
Reichskörpers machen können.

Schwäbischer Merkur.

□

Der Weg nach England.

Was den Athenern die ‚böotische Sau‘ und den Rö=
mern der ‚umbrische Eber‘ war, das ist John Bull der
noch immer gedrückte Ire, ein ‚Kartoffelmaul‘ und ein
‚Paddy‘ — von St. Patrick, dem Schutzpatron —, und
doch ist dieser Ire meist munterer, höflicher, lebhafter
und liebenswürdiger, als John Bull, gastfreier und ein=
facher. ... Irland könnte sein, was England ist ohne

80

politischen und religiösen Druck; so aber sind ewige Par=
teiungen. Wäre Bonaparte statt nach Ägypten nach
Irland gegangen! „Der Weg nach England geht über Ir=
land," sagt schon ein altes britisches Sprichwort.

Carl Julius Weber, „Demokritos".

□

Ägypten.

„Die Regierung Ihrer Majestät erklärt, daß sie keine
Absicht hat, den politischen Status in Ägypten zu ändern."

Text der englisch-französischen Vereinbarung,
8. April 1904.

□

„Es heißt, daß England beabsichtige, in kurzer Zeit
das Protektorat oder die Annexion Ägyptens zu erklären.
Gestatten Sie mir zu fragen, ob diese Gerüchte auf Wahr=
heit beruhen oder nicht?"

„Das Gerücht ist vollkommen grundlos, und Sie
können es kategorisch dementieren. England hat sich
durch offizielle Verträge der Türkei und den europäischen
Mächten gegenüber verpflichtet, die Souzeränität des
Sultans in Ägypten zu achten. England wird seine
Verträge halten, um so mehr, als es sie im Jahre 1904
beim Abschluß des englisch=französischen Abkommens er=
neuert hat.

Wir haben in diesem Abkommen ausdrücklich ge=
sagt, daß wir nicht die Absicht haben, die politische Lage
in Ägypten zu ändern. Weder das Volk noch die Regier=
ung wünscht sich von der übernommenen Verpflichtung
zu befreien."

Unterredung Sir Eldon Gorsts mit Dr. Nimr,
Redakteur des „Mokatam", 24. Oktober 1908.

82

Sir Edward Grey bestätigte im Unterhause, daß diese Unterredung offiziell gewesen sei.

□

England hat die Annexion Ägyptens erklärt, und Prinz Hussein, Onkel des Khediven, zum Sultan ernannt.

19. Dezember 1914.

□

Der Suez-Kanal.

Disraelis Weitblick hatte England die Herrschaft über den Suezkanal gesichert. Als im Jahre 1875 der Khedive von Ägypten in Geldschwierigkeiten geriet, kaufte England ihm seinen Aktienbesitz ab. Damit war der Grund zur britischen Herrschaft in Ägypten gelegt, die nicht mehr lange auf sich warten ließ. Mit dem Bombardement von Alexandrien im Jahre 1882 legte England schwer seine Hand auf das alte Pharaonenland, dessen Sicherung im Süden an der Grenze des Sudan freilich noch ein Jahrzehnt überaus heftige Kämpfe kostete. Aber England scheute kein Opfer; galt es doch die Sicherung des Suezkanals, seines Seeweges nach Ostindien. Frankreich, dessen Kapital und Ingenieurleistung das große Werk geschaffen hatten, sah sich um die Früchte seiner Leistungen betrogen; ohnmächtig, wie es nach dem verlorenen Kriege von 1870/71 war, konnte es nicht daran denken, England an der Besitzergreifung Ägyptens und des Suezkanals

83

irgendwie ernftlich zu hindern. Man weiß, daß Frankreich
fich mit England darüber erft in der neueften Zeit und
gegen Gewährung völlig freier Hand im nordweftlichen
Afrika verftändigt hat.

Leipziger Neuefte Nachrichten.

□

Lord Kitchener im Sudan.

Vom Haufe des Kalifen ging ich zu dem Grab=
denkmal des Mahdi. ... Diefe Stätte war länger
als ein Jahrzehnt das Heiligfte und Teuerfte, was die
Völker des Sudans kannten. Deren trübfeliges Dafein
hatte dadurch vielleicht einigen Glanz erhalten, hatte
vielleicht in gewiffer Weife durch die Betrachtung von
etwas ihnen nicht ganz Verftändlichem, dem fie aber einen
wunderbaren Einfluß zufchrieben, eine Weihe erfahren
und jenes inftinktive Verlangen nach dem Myftifchen
befriedigt, das die ganze Menfchheit empfindet und das
wohl mehr als alles andere zu dem Glauben hinführt an
eine höhere Beftimmung, die eine Vorwärtsentwicklung
verheißt, und an ein zukünftiges Leben. Auf Kitcheners
Befehl wurde das Grab entweiht und dem
Erdboden gleichgemacht. Der Leichnam des
Mahdi wurde wieder ausgegraben, der Kopf
vom Körper getrennt und — wie die offizielle Er=
klärung fagt — für eine fpätere Entfcheidung aufgehoben,
eine Phrafe, die in diefem Falle fo verftanden werden
muß, daß der Schädel von Hand zu Hand gegeben wurde,

84

bis er endlich Kairo erreichte. Hier verblieb er als eine
interessante Trophäe, bis die ganze Geschichte zu den
Ohren von Lord Cromer kam, der die sofortige Beisetzung
des Schädels in Wadi Halfa befahl. Der Körper wurde
in den Nil geworfen. Das war die Ritterlichkeit
der Eroberer!

Aus Winston Churchill „The River
War," London 1899.

□

Greuel in Ägypten.

Ein ägyptischer Taubenzüchter, der sich gegen britischen Sport auflehnt, britische Offiziere und Edelleute
bedroht, wenn sie seine Tauben schießen, und Offiziere
mit einem wirklichen Stock schlägt, ist ohne Zweifel ein
Raufbold, und man muß an ihm ein Exempel statuieren.
Zuchthausstrafe genügte nicht für einen Mann von 60
Jahren, der wie siebzig aussah und möglicherweise nicht
lange genug gelebt hätte, um auch nur fünf Jahre abzu-
sitzen. Hassan wurde also gehenkt, und zwar, um seiner
Familie ein besonderes Zeichen von Wertschätzung zu
geben, gerade vor seinem Hause, von dessen Dache aus
seine Weiber und Kinder und Enkelkinder das Schau-
spiel genießen konnten. Und aus Furcht, dies Privilegium
könnte die Eifersucht anderer Familien erregen, wurden
noch drei Bewohner von Denshawai mit ihm zusammen
gehenkt.

Bernhard Shaw 1915.

□

Die Buren.

Hüten wir uns, die Buren zu idealisieren, sie waren roh und derb, unbekümmert um Leben und Fortschritt in der großen Welt, sie saßen eigensinnig auf dem Hergebrachten, waren in der Vereinsamung und Vereinzelung südafrikanischer Kontinentalexistenz verhockt und verbohrt. Wie ist nun das freie und stolze England mit diesen ungeschickten und struppigen Wildlingen umgegangen?

Es hat ihnen sicher ihr eigenes Recht und ihre eigene Art gelassen, es hat sie nur behutsam und weichherzig in die größeren Zusammenhänge seiner Interessen hinübergeleitet!?

Sehen wir zu, was geschah: Die englischen Missionare bearbeiteten die Eingeborenen und hetzten sie gegen die Buren auf. Das Englische wurde als Amtssprache eingeführt, widerspenstige Burenführer wurden hingerichtet, die alte holländische Währung, die alte Lokalverwaltung wird abgeschafft. Die Buren sehen in dem allen nichts als Demütigung und Schikane und sie überlassen den Engländern das Land: ein erheblicher Teil der Bevölkerung sucht sich jenseits des Orangeflusses neue Wohnsitze — das ist der große „Trek" von 1836. Ein neuer Burenstaat entsteht; würde England

86

ihn anerkennen? Es geschieht schließlich 1852 trotz des
Widerstrebens der kapländischen Regierung, das Mut=
terland hat damals weder Kraft noch Initiative noch
Interesse, gewaltsam gegen die Buren vorzugehen.
Die Lage ändert sich aber infolge der Gold=
und Diamantenfunde in Südafrika. Jetzt in
den siebziger Jahren, plant England einen
südafrikanischen Bund und ladet die beiden
Burenstaaten zur Teilnahme ein; die Buren
wollen nichts von ihrer Selbständigkeit preisgeben;
England benutzt Beschwerden der Hottentottenhäupt=
linge, um gegen sie einzuschreiten. 1877 wird Trans=
vaal zum britischen Territorium erklärt. Aber England
kann diesen Gewaltstreich militärisch nicht aufrecht er=
halten und erkennt 1881 die Souveränität der
Burenstaaten an — zum zweiten Male. Es
bleibt nicht dabei — dank den Bemühungen der eng=
lischen Minenspekulanten. Der geistige Führer der eng=
lischen Expansion in Südafrika wird Cecil Rhodes.

Dr. Veit Valentin in „Das englische Gesicht."

☐

„Afrika britisch vom Kap bis zum Nil".

Maßgebend dafür (Änderung der englischen Südafrika=
Politik im Jahre 1884) war einmal die Entdeckung der ge=
waltigen Goldfelder in Transvaal am Witwatersrand, die
die Republik bald zum goldreichsten Lande der Welt
machten, dann aber auch die in diesem Jahre einsetzende
deutsche Kolonialpolitik. Von dieser fürchtete man

87

einen unmittelbaren Zusammenschluß mit den Buren=
staaten von Deutsch=Südwestafrika aus. Von da an be=
ginnt die englische Umklammerungspolitik, gekennzeichnet
durch ein rücksichtsloses und energisches Zugreifen in
allen Gebieten, die noch keinen unbedingt anerkannten
Herrn hatten; über ältere Besitztitel wie die der Portu=
giesen schritt man hinweg. In diesem Stadium taucht das
Schlagwort auf: „Afrika britisch vom Kap bis zum Nil!"

Den Abschluß in dieser gesamten Entwickelung bildete
dann der Krieg der Engländer gegen die Burenrepubliken
1899—1902, nachdem der von Cecil Rhodes inspirierte
kühne Einfall Jamesons 1895 mißglückt war.

Wilh. Langenbeck, „Englands Weltmacht in ihrer
Entwicklung vom 17. Jahrhundert bis auf unsere Tage" (Berlin 1913).

□

Der Einbruch.

Die Verschwörung gegen die südafrikanische Re=
publik, der zu ihrer Ausführung ins Werk gesetzte ver=
räterische und brutale Einfall des Dr. Jameson und seiner
Genossen, in das Gebiet des Freistaates (Ende 1895)
beschäftigen heute, nachdem die Fäden des ruchlosen
Anschlages inzwischen aufgedeckt worden sind, ganz
Afrika, und nicht allein dieses. Denn auch die gebildete
Welt Europas schaut mit Entrüstung auf eine Handlung,
für welche weder der Urheber, noch seine Helfershelfer
ein Wort der Verteidigung und Begründung zu finden
vermocht haben.

N. J. Hofmeyer (in Pretoria)
„Die Buren und Jamesons Einfall in Transvaal."

□

88

Auf den Spuren von Englands Kriegern im Burenlande.

Alle Häuser, an denen wir vorübergezogen waren, waren abgebrannt oder verwüstet. Wir hatten nicht ein einziges Pferd, Rind oder Schaf zu Gesicht bekommen. Prächtig stand zwar das Feld, das Gras wogte im Wind; aber wir hatten kein Vieh gesehen, das darauf hätte weiden können. Es war, als ob wir eine Wildnis durchquert hätten, und nur die Schutthaufen der Gehöfte verrieten die Spuren einer früheren Bevölkerung ... England schonte weder Frauen, noch Kinder, noch Greise, die am Rande des Grabes standen.

Feldprediger J. D. Kestell,
„Mit den Burenkommandos im Felde."

□

Unter Führung englischer Offiziere.

... Die Zulus sind in Stärke von mehreren tausend Mann vollständig militärisch bewaffnet, unter Führung englischer Offiziere von Natal aus im Distrikt Vrijheid eingefallen, raubend und plündernd von Farm zu Farm gezogen, haben die Männer getötet und die Frauen geschändet und völlig nackt in die Wüste gejagt. Ein fürchterliches Blutbad sah der nächtlicherweile am 6. Mai 1901 überfallene Ort Vrijheid. Keiner der männlichen Bewohner entging dem Gemetzel.

A. Schowalter, Mitglied der Burendeputation.

□

□□□□□□□□□□□□□□□□□□□□□□□□□□□□□□□□□□□□

1899—1902 der Vernichtungskrieg Englands gegen die Burenrepubliken.

Wenn es ein Verbrechen ist, im Interesse der Selbstverteidigung den Kampf aufzunehmen, und wenn ein solches Verbrechen überhaupt gestraft werden soll, dann meine ich, daß Sr. Majestät Regierung mit der Verwüstung des Landes, mit der Züchtigung von Frauen und Kindern und mit dem allgemeinen Elend, das dieser Krieg über uns gebracht hat, zufrieden sein kann.

Präsident Steijn an Kitchener.

□

Frauen und Kinder. — Die Vernichtung.

... Was die 74 000 Frauen und Kinder anbelangt, die Ew. Exzellenz in Ihren Lagern zu unterhalten behaupten, so scheint mir, daß Ew. Exzellenz nicht wissen, auf wie barbarische Art diese armen wehrlosen Wesen ihren Heimstätten von den englischen Truppen entrissen wurden, während all ihr Hab und Gut vernichtet ward. Wie viele dieser armen, unschuldigen Opfer des Krieges sind beim Herannahen eines feindlichen Truppenkörpers in Wind und Wetter, zur Tages- und Nachtzeit geflüchtet, so weit sie konnten, um ja nicht in die Hände der Soldaten zu fallen, und Ew. Exzellenz Truppen haben sich nicht entblödet, auf die Hilflosen Geschütz- und Gewehrfeuer zu richten, um sie in die Hände zu bekommen, obwohl

90

Ew. Exzellenz Truppen genau wußten, daß es nur Frauen und Kinder waren. Manche Frau und manches Kind ist auf diese Weise verwundet oder getötet worden, wie es ja noch kürzlich der Fall war in Graspan bei Reitz, am 6. Juni 1910, wo ein Frauenlager, und nicht, wie Ew. Exzellenz berichtet wurde, ein Convoi, von den englischen Truppen erbeutet und von uns wieder befreit wurde, während Ihre Soldaten hinter den Frauen Deckung suchten.

Aus der Antwort des Präsidenten Stejn auf Lord Kitcheners Proklamation vom 6. August 1901: warum das Burenvolk nicht berechtigt war, den Krieg fortzusetzen . . .

□

Die Versammlung von Vertretern des Volkes beider Republiken, der Südafrikanischen Republik und des Oranjefreistaates, gehalten in Vereeniging vom 15. bis zum 31. Mai 1902, hat den Zustand des Landes und Volkes ernstlich erwogen und hat sich (zur Beendigung des Krieges) durch folgende Tatsachen bestimmen lassen:

1. Daß die von den englischen Militärbehörden eingeschlagene Kriegspolitik zu einer völligen Verwüstung des Grundgebietes beider Republiken, zum Niederbrennen der Wohnsitze und Dörfer, zur Vernichtung aller Existenzmittel und zur Erschöpfung aller Hilfsmittel geführt hat, welche für den Unterhalt unserer Familien, den Bestand unserer Kriegsmacht und die Fortsetzung des Krieges notwendig sind.

2. Daß die Wegführung unserer gefangenen Fa=

91

milien in die Konzentrationslager zu einem unerhörten
Zustand von Leiden und Krankheiten geführt hat, so
daß in kurzer Zeit ungefähr 20 000 unserer Lieben dort
gestorben sind und die fürchterliche Aussicht besteht, daß
bei Fortsetzung des Krieges unser ganzes Geschlecht auf
diese Weise aussterben würde.

3. Daß die Kaffernstämme innerhalb und außerhalb
der Grenzen beider Republiken fast alle bewaffnet sind
und an dem Krieg teilnehmen und durch die Verübung
von Mord= und anderen Greueltaten in vielen Distrikten
einen unhaltbaren Zustand geschaffen haben ...

Letzter Staatsakt der Burenrepubliken.

□

Tiroler und Buren.

Quousque tandem! Willst du lang mißbrauchen
Noch aller Völker schonende Geduld?
Siehst du in Irland nicht die Bomben rauchen,
Fühlst du im Sudan nicht die Wucherschuld,
Siehst du die Pest in Indien sich erheben?
Raubgierig' England, sieh' zum Himmel hin.
Sieh in Kometenlettern droben schweben
Blutrot ein Menetekelupharsin.

Seht ihr die Leichen und die schwarzen Dohlen?
Hört ihr, wie euch die Völkerrunde flucht? —
Wo ist ein Ort, wo ihr noch nicht gestohlen,
Nicht Raub und Diebstahl wenigstens versucht?
Ob stolzgebaute Riesenstädte brennen,

92

Ob Tausende verbluten im Gefecht . . .
Könnt ihr es noch in eurer Sprache nennen,
Das heilige Wort? — Und dieses Wort heißt Recht!

Und hinter Wüsten in dem tiefsten Süden
Hat euer Geieraug noch Gold erblickt,
Das deutsche Kräfte, ohne zu ermüden,
Aus dunkeln Tiefen an das Licht geschickt.
Nun mußtet ihr zum Raub die Schwerter gürten,
Seit Jahren schon bedachtet ihr die Tat;
Doch es ersteht dem deutschen Volk der Hirten
Ein deutscher David gegen Goliath.

Was kümmert's euch, wenn ganze Völker sterben,
Wenn durch die Lande tobt die schwarze Pest?
Ihr wollt die Völkerschaften ja beerben,
Und schamlos raubt ihr bei dem Totenfest!
Ihr wollt ja nur die Elefantenzähne
Und Diamanten für ein Fürstenhaupt,
Und an die Echtheit eurer Königsträne
Hat in Europa noch kein Mensch geglaubt.

Hörst du es rauschen unter fernen Palmen?
Das Burenheer! — Wo bleibt nun Englands Spott?
Horch, die Fanfaren und die Siegespsalmen:
Ja, eine feste Burg ist unser Gott!
Ja, weine nur, du wirst noch länger weinen,
Ich fürchte, deine Tränen werden echt:
Es war der Herr getreulich bei den Seinen,
Ja, weine nur, — denn endlich siegt das Recht.

93

In Irland schallt des Aufruhrs wirres Rufen,
Denn Rache will, was Irland alles litt,
Und an des Prunkpalastes Marmorstufen
Zerdonnert eine Bombe Dynamit. —
Es sitzt der Tod auf einem Felsenriffe,
Bläst eine irre, wirre Melodei,
Die Wogen zürnen gegen eure Schiffe
Und aus der Ferne kommt der Sturm herbei. —

Und durch die Wälder flüchtet die erschreckte
Soldatenschar, — sie hatte ein Gesicht,
Wie Gott, der Herr, den Samum selber weckte
Und an dem Himmel löschte aus das Licht. —
Der Hunger kommt auf seinem fahlen Rosse,
Ruft die Rebellen auf in Hindostan,
Er hat die Pest in seinem Reitertrosse,
Und auch ein Heer von Toten führt er an! —

Und aus dem Grabe steigt die rote Rasse,
Von euch gemordet in Amerika,
Und holt das Kriegsbeil, und mit wildem Hasse
Steht racheforderend sie zum Kampfe da. —
Wo in die Südsee euch die Gier getragen,
Er bleibt euch nicht, der allerletzte Hort;
Denn eure Totenuhr hat ausgeschlagen:
Vor euren Schiffen ist der Aufruhr dort. —

Ein Weltgericht! — Nun kommt die große Wende
In Afrika die deutsche Bauernschaft,
Sie schuf den Anfang nur von eurem Ende:

94

Nun tritt des Rechtes Weltgesetz in Kraft.
Den Deutschen sich das Weltenschicksal kürte
Als den Vollstrecker eines Weltgerichts,
Und weil fürs Recht er seine Waffe führte,
Liegt seine Zukunft in dem Reich des Lichts.

Anton Renk,
Der vor zehn Jahren verstorbene jungtiroler Dichter und — Prophet.

□

O, könnte England klar und wahr erkennen,
Wie seinen großen Namen Haß verzehrt,
Wie alle Völker auf die Stunde brennen,
Die seine Brust bloßlegen wird dem Schwert,
Wie alle Land es Feind und Todfeind nennen,
Schlimmer als Feind, den Freund, den sie geehrt,
Den falschen Freund, der Freiheit erst verheißt,
Und dann sie ketten möchte, Leib und Geist.

Byron
Nach der Übersetzung von Gildemeister.

□

England versteht unter Freiheit nur Faust=
recht, und zwar Faustrecht für sich allein, man
wird aus seinem ungeheuren Kolonialreich nicht einen
einzigen Funken geistigen Lebens aufweisen können:
Alles nur Viehhalter, Sklavenhalter, Warenaufstapler,
Bergwerkausbeuter, und allerorten die Herrschaft jener
unbedingten Willkür und Brutalität, die überall auftritt,
wo nicht Kultur des Geistes sie dauernd abwehrt, die

95

Brutalität, die Englands populärster heutiger Dichter, Rudyard Kipling, als höchste Kraft und höchsten Ruhm des englischen Volkes zu verherrlichen die Dreistigkeit hat.

Houston Stewart Chamberlain, Kriegsaufsätze.

□

Sorgen wir uns nicht um dieses England; in hundert Jahren zählt es zu den toten Nationen.

John Ruskin.

□

Die schwarze Schande.

Rudyard Kipling erzählt in seiner Novelle „A Sahibs War" vom Burenkrieg. Nach der Jameson-Raid hat ein junger englischer Kapitän eines indischen Kavallerieregiments in Ahnung der kommenden Ereignisse Krankenurlaub genommen und sich nach Südafrika begeben. Den ältesten eingeborenen Offizier seines Regiments, der ihm treu ergeben ist wie ein Hund seinem Herrn, nimmt er mit. Der Krieg bricht aus. Der Kapitän wird bei den englischen Truppen mit Freuden als Freiwilliger aufgenommen. Der eingeborene indische Offizier jedoch muß sich, weil er bei seinem Herrn bleiben will, als niedriger indischer Diener verkleiden und darf nicht kämpfen. Denn also sprach London:

„Dies ist ein Herrenkrieg. Ein Krieg der weißen Männer. Was schwarz oder braun oder gelb ist, darf gegen die Buren nicht kämpfen."

Und der Inder steht ratlos da im „Herren"-Krieg.

96

Er begreift eine Kriegführung nicht, die nur den Krie=
ger treffen will und den Bürger schont; er will brennen,
morden, rächen, vergelten. Doch —

„Sei still — dies ist ein Krieg der weißen Männer!"
warnt ihn sein Kapitän immer wieder.

Wie löblich! Aus jeder Zeile der Kiplingschen Ar=
beit atmet ein mühsam verhaltener Stolz über die eng=
lische Anständigkeit, gegen weiße Männer nur mit wei=
ßen Männern zu kämpfen. So dachte vor zehn Jahren
der englische Schriftsteller, dem seine Landsleute nach=
rühmen, daß er wie kein anderer das Denken und Füh=
len Englands verkörpere.

* * *

An einem Novembertag des Jahres 1914 habe
ich die Kiplingsche Novelle wiederum gelesen und lä=
chelnd festgestellt, daß neben dem englischen Buch auf
meinem Schreibtisch eine deutsche Zeitung lag, in der
Zusammenstöße mit indischen Truppen auf unserer
Kampflinie in Flandern gemeldet wurden. Den Platz
daneben nahm friedlich eine „Times"=Nummer ein.
Darin schimpfte Rudyard Kipling in bewunderungs=
würdig schönem Englisch über die deutschen Hunnen.

Der Stolz des weißen Mannes war englische Lüge,
die Menschenfreundlichkeit war englischer Cant. Groß=
britannien wirft die schwarzen und braunen Massen
seines Indiens nach Europa. In getreuer Nachah=
mung der Praxis seines französischen Bundesgenossen.
Auf den Feldern Frankreichs kämpfen afrikanische Tur=
kos, aus niedrigen Negerrassen rekrutiert, arabische

Spahis, indische Shiks, Bengalen, Gurkhas, ein Men=
schenwirrwarr von Farben und Religion: der neidische
Krämer hat auch den letzten Rest von Ehrgefühl ver=
loren. Das gleiche Ehrgefühl, auf das er in dem jäm=
merlichen Krieg gegen das freie Burenvolk nach eigenem
Eingeständnis so großen Wert legte.

Aus einem Aufsatz Erwin Rosens in der
Leipziger Illustrierten Zeitung 1915.

□

Amerika.

□

Die Engländer im Bunde mit den Indianern im Freiheitskampfe Amerikas.

Mylords! Wer hat es gewagt, den Jammer und die Greuel des Kriegs dadurch zu vermehren, daß er den Tomahawk und das Skalpiermesser der Wilden unseren Waffen zugesellt und ihnen gleichgestellt hat? Wer hat es gewagt, den grausamen blutdürstigen Indianern die Verteidigung strittiger Rechte zu übertragen, und die Schrecken ihrer barbarischen Kriegführung gegen unsere Brüder auszuspielen? Endlich, wer konnte es wagen, die wilden unmenschlichen Bewohner der Urwälder mit zivilisierten Völkern zu verbünden? Mylords, diese Greuel schreien zum Himmel. Aber diese barbarischen Maßregeln sind verteidigt und nicht nur mit der Politik und der Notwendigkeit, sondern auch mit der Moral begründet worden. „Denn es ist durchaus erlaubt," so hat Lord Suffolk hier ausgeführt, „alle Mittel, die Gott und die Natur in unsere Hände gegeben haben, zu gebrauchen." Ich bin erstaunt, ich bin empört, solche Grundsätze zu vernehmen, ihr Geständnis in diesem Hause und in diesem Lande zu hören. Mylords, ich beabsichtige nicht, Ihre Aufmerksamkeit lange in Anspruch zu nehmen,

99

aber ich kann meine Empörung nicht unterdrücken, ich muß sprechen!

Es ergeht an uns als Mitglieder, als Männer, als Christen, der Ruf, gegen solch ungeheuerliche Barbarei Einspruch zu erheben. „Die Gott und die Natur in unsere Hände gegeben haben!!" Welche Begriffe von Gott und der Natur der edle Lord haben mag, weiß ich nicht; aber ich weiß, daß solche entsetzlichen Grundsätze der Religion und der Menschlichkeit zuwiderlaufen. Wie! dürfen wir den mörderischen Skalpiermessern und den Grausamkeiten, mit denen die Wilden ihre unglücklichen Opfer quälen, die Weihe Gottes und der Natur zubilligen? Solche Ansichten sprechen doch jeglichem Gesetz der Moral, und jedem Gefühl der Menschlichkeit und der Ehre Hohn. Solche entsetzlichen Grundsätze und ihrer noch verächtlichen Bekundung erwecken in mir die tiefste Empörung. Ich rufe die hohe Geistlichkeit und die hier anwesende weise Gerichtsbarkeit an, die Religion ihres Gottes zu verteidigen, die Gerechtigkeit ihres Landes zu stützen. Ich fordere die Bischöfe auf, die unbefleckte Heiligkeit ihres Gewandes zu schützen, ich flehe die Richter an, die Reinheit ihres Gewandes zu wahren und uns vor dieser Schande zu retten. Ich wende mich an das Standesbewußtsein Ew. Lordschaften: Wahren Sie die Würde Ihrer Vorfahren, erhalten Sie Ihre eigene! Ich wende mich an das Denken und Fühlen meines Volkes und bitte es, für die nationale Ehre einzutreten. Ich flehe den Geist der Verfassung an. Von den Teppichen, die diese Wände schmücken, blickt der unsterbliche Ahnherr dieses edlen

100

Lords herab, voller Entrüstung über die Schande seines Landes. Vergebens hat er für die Freiheit gekämpft, vergebens die Religion Britanniens geschützt, wenn diese Greuel unter uns geduldet werden, wenn erlaubt wird, daß die blutgierigen, grausamen Indianer losgelassen werden. Gegen wen? Mylords, gegen unsere Mit=brüder, damit ihr Land verwüstet wird, ihre Wohnsitze zerstört, ihr Geschlecht und ihr Name ausgelöscht werden mit Hilfe dieser zügellosen Wilden. Spanien kann nicht länger angeklagt werden, das barbarischste Volk der Welt zu sein. Es sandte Bluthunde aus, um die unglück=lichen Eingeborenen von Mexiko zu vernichten; wir, noch ruchloser, lassen die unmenschlichen Horden gegen unsere Landsleute in Amerika los, die uns durch jedes Band, das die Menschheit heiligt, teuer sind. Feierlich fordere ich Ew. Lordschaften und alle Stände unseres Volkes auf, diesem ehrlosen Vorgehen den untilgbaren Stempel öffentlichen Abscheus aufzudrücken. Mylords, ich bin alt und schwach und nicht fähig, mehr zu sagen, aber meinen Gefühlen und meiner Empörung mußte ich Ausdruck geben. Ich hätte des Nachts nicht schlafen und keine Ruhe finden können, hätte ich meinem unbesiegbaren Abscheu gegen solche widernatürlichen, ungeheuerlichen Grund=sätze nicht Ausdruck verliehen.

William Pitt 1776.

□

Unfere Truppen waren bisher in Amerika im Kampf gegen die vereinigten Kolonisten wenig glücklich. Dennoch berechtigte nichts unsere Regierung, die Kriegs= hilfe der Wilden, deren Waffen der Tomahawk und das Skalpiermesser sind, anzurufen. Ich weiß nicht, wer vom Regierungstische die Hilfe dieser Barbaren gegen die uns stammverwandten Kolonisten angerufen hat. Ich klage ihn oder, waren es mehrere, sie an, Ge= wohnheit und Sitte, Recht und Gerechtigkeit verletzt, Englands reines Wappenschild durch den Hilferuf und die Annahme der Indianer=Unterstützung besudelt zu haben. Ehre ist des Soldaten höchstes Gut, für wel= ches er kämpft, lebt und stirbt. Gezwungen zu sein, mit Mördern, Räubern, Dieben zusammen zu kämpfen, ist für jeden die Ehre hochhaltenden Krieger eine Beleidigung, eine Schande, eine Beschmutzung seiner und unserer aller Ehre.

Ich fordere die Bestrafung des oder der Schul= digen und die Wandlung des unsittlichen, ungerech= ten Vorgehens. Alle Bischöfe, alle christlich denken= den Männer werden, ich bin dessen sicher, meinen An= trag unterstützen.

William Pitt, Earl of Chatham am 18. November 1777 im englischen Oberhaus.

□

William Pitt irrte; sein Antrag fand keine Unter= stützung.

□

102

Englands Hilfsvölker.

Die Furchtbarkeit der Wilden zeigt den stärksten Eifer, diejenigen zu schlachten, die fortfahren sollten, feindlich gegen Großbritannien zu handeln. Ich darf nur den bewaffneten Indianern, die zu Tausenden unter meinem Befehl stehen, die Zügel schießen lassen, um unsere hartnäckigsten Feinde zu zähmen.

Der englische General Bourgohne
im amerikanischen Freiheitskrieg.

□

103

Die Anderen.

◻

Jamaika.

Jamaika wurde 1655 seitens England den Spaniern geraubt. Nach der Befreiung der Neger auf Jamaika waren nachlässige Verwaltung, Unterschleife, Betrügereien aller Art an der Tagesordnung. Schwere Taxen wurden auf die Konsumtionsartikel des niederen Volkes gelegt ... Die Teuerung dauerte fort. Die Zahl der Darbenden und Nackten wuchs, die Diebstähle mehrten sich, die Gefängnisse wurden nicht leer. Die Regierung aber sah diesen Dingen rat= und tatlos zu und das nächste Ereignis war (Mitte Oktober 1865) der Negeraufstand ... Am 20. Oktober kündigte der Gouverneur dem Kolonialminister die Unterdrückung der Rebellion an. Trotzdem die Neger fast gar keine Gewalttätigkeiten gegen das Leben und die Person der englischen Ansiedler begangen hatten, berechnete man zu Ende Oktober die Zahl der Erhenkten und Niedergeschossenen auf 2000, und die Masse der nachlässig beiseite geworfenen Leichen verpestete die Luft.

„Unfere Zeit" 1861.

◻

104

Wie Cypern „erobert" wurde.

Am 30. Mai 1878 unterfertigten Graf Schuwalow und Salisbury jene berühmte englisch-russische Konvention, deren Veröffentlichung durch die Indiskretion eines Ministerialbeamten im (Londoner) „Globe" am Vorabende des Berliner Kongresses so großes Aufsehen in Europa erregte. — In Deutschland am meisten, das England auch nach dem 30. Mai zum Kriege gegen Rußland aufhetzte. — Möglich geworden war das russisch-englische Separatabkommen überhaupt nur dadurch, daß die britische Diplomatie in allen jenen Punkten, welche nicht englisches, sondern fremdes Interesse berührten, ohne weiteres Rußland freie Hand ließ. Darin bestanden die Gegenkonzessionen. Mit einer fast zynischen Schaustellung seines Egoismus willigte Britannien jetzt z. B. in die Annektierung Rumänisch-Bessarabiens, ließ also Rumänien schmählich im Stich. ... Die einzige scheinbare Konzession, welche England auf dem Gebiete seiner eigenen Interessen machte, war, daß es wider alles Erwarten auch nichts mehr dagegen hatte, daß der Hafen Batum an Rußland falle. Rußland selbst staunte darüber; es wußte eben noch nicht, welch' hohen Kaufpreis hinter seinem Rücken die schlauen kaufmännischen Rechenmeister an der Themse sich dafür, allerdings auf Kosten eines Dritten, der Türkei nämlich, bezahlen ließen. Während sie nämlich mit der einen Hand Batum an Rußland auslieferten, kassierten sie mit der andern Cypern ein, welches nach dem Wortlaute des

— am 4. Juni — mit der Pforte abgeschlossenen Ver=
trages dann dem Osmanischen Reiche wieder heraus=
gegeben werden soll, wenn das Russische Reich seinerseits
auch Kars und Batum herausgegeben haben wird; das
heißt niemals.

S. Hahn, „Die Diplomatie im Orient".

□

Britische Raubzüge.

Der Seekrieg (Englands gegen das republikanische
Frankreich) vermehrte nicht nur die Besitzungen und
die Seemacht der Engländer, sondern er vernichtete auch
die maritimen Kräfte anderer Nationen. In Ostindien,
in Afrika, in Amerika und Westindien eroberten die Eng=
länder französische, holländische und spanische Kolonien
— darunter Kanada, Ceylon.

F. Chr. Schlosser, Weltgeschichte.

Als 1794 die französischen Truppen nach Holland
vorgerückt waren, nahm England diesem nicht nur seine
Handelsflotte im Werte von 10 (?) Millionen, sondern auch
alle seine Kolonien am Kap, in Malakka, Kotschin, auf
den Molukken usw. weg. Die Besitzergreifung Ceylons
wurde ihm nicht schwer gemacht. Der Sitz der hollän=
dischen Regierung wurde von dem bestochenen Gou=
verneur Joh. Gerh. von Angelback mit allen noch nicht
genommenen festen Plätzen, allen Warenvorräten und
Kassen ohne Schwertstreich ausgeliefert.

Hans F. Helmolt, Weltgeschichte.

□   □
□

Die Saat.

Die Saat, die als Ernte einen gewaltigen Kampf zwischen der weißen und der gelben Rasse im Pazifik zeitigen muß, geht schöner Reife entgegen.

Der englische Arbeiterführer Ramsay Macdonald 1915.

◻

Küstenwacht.

Ein bayrischer Reiter steht Posten am Meer...
Sein Roß wiehert über die See...
Noch gestern die Alpen — heut steht er am Meer!
O weh, England, o weh!

Die Lanze am Bügel, die Augen hinaus,
bis zum Bauchgurt im Brandungsschnee...
„Wie eng war doch das Bauernhaus,
mein Brauner, wie karg der Klee!

Wie wachsen wir am Meeressaum!
Wie dehnt sich die Brust! Ade,
du alte Hütte! Nun reicht kein Raum,
als der Himmel über der See"...

Karabiner am Sattel, die Lanze am Gurt,
und das Roß scharrt die Woge der See...
Eine fliegende Burg durch die Lüfte furrt!
O weh, England, o weh!

Leo Sternberg-Rüdesheim.

□

108

Gold über alles . . .

□ □ □

„Cant".

's ist Sonntag, zum Betsaal ergießen
Sich Mister, Mistreß und Miß,
Sie falten die Hände und schließen
Mit Gott einen Kompromiß:

O, Lord gib jeglichen Hafen
In unsere Fäuste nur!
Gib uns von allen Schafen
Auf Erden die erste Schur.

Laß unsere Gäule die besten,
bei jedem Rennen sein,
laß unsere Hammel sich mästen
und gib unseren Hähnen Gedeihn.

Schreib alle Maklerspesen
Auf unser Konto um
laß Indier und Chinesen
Vertieren in Opium!

Von jedem Erdengenusse
gib uns den Hauptgewinn und
dann erhalte zum Schlusse,
O Lord, die Königin! . . .

W. Jensen.

□

III

111

Der Krieg und das Gold.

„Für England", sagt Seeley, „ist der Krieg eine Industrie, eine der möglichen Arten reich zu werden, das blühendste Geschäft, die einträglichste Geldanlage." Man mag das loben oder nicht; ich erwähne es nur, weil dieser Zug die anderen ergänzt: daß die Engländer keine Soldaten sind und auch nicht kühne verwegene Seefahrer, sondern einzig und allein durch den Handel aufs Wasser gelockt wurden; Handel im Frieden, Handel durch Krieg; Armee und Marine, beide, nicht zur Verteidigung und Stärkung der Heimat, sondern zur Beförderung der in allen Weltteilen betriebenen Bereicherung; sicherlich tüchtig und tapfer, doch nicht der Ausdruck einer nationalen Not und einer moralischen Idee."

Houston Stewart Chamberlain, Kriegsaufsätze.

□

Ich führe die Störung des Verhältnisses zwischen Großbritannien und Deutschland nicht nur auf die Transvaalfrage zurück, sondern vor allem darauf, daß Deutschland Großbritannien auf wirtschaftlichem Gebiete zu überflügeln beginnt. Ich bin ganz überrascht von den technischen und kommerziellen Fortschritten der Deutschen; der deutsche Wettbewerb auf diesen Ge=

112

bieten ift eine Gefahr der Zukunft. Deutschland be=
fitzt das vollkommenste Syftem technischer Ausbildung,
ift daher der gefährlichfte Nebenbuhler Großbritanniens
und bedroht den britischen Handel sogar in Indien und
Ägypten.

Der frühere englifche Premierminifter L o r d R o f e b e r y.

◻

Der Kriegsgrund des Krämers.

**Wir werden nur wenig mehr leiden,
wenn wir am Kriege teilnehmen, als wenn
wir abfeits bleiben.**

Sir Edward Grey 1914.

◻

Das Londoner Kabinett ließ diesen Welt=
krieg, diesen ungeheuerlichen Weltkrieg kom=
men, da ihm die Gelegenheit günftig erschien,
mit Hilfe feiner übrigen Ententegenoffen den
Lebensnerv feines größten wirtschaftlichen Kon=
kurrenten auf dem Feftlande zu zerftören.

Der deutfche Reichskanzler im Reichstag
am 3. Dezember 1914.

◻

„England, ja England allein ift für diefen
Krieg verantwortlich. Wollte Deutschland irgend=
etwas haben, ftellte Deutschland an irgendjemand,
irgendwelche Forderungen? Hatte Deutschland mit ir=
gendjemand einen Streit? Nein, es wollte nur in Ruhe

gelassen sein, um sein friedliches Wachsen und seine
friedliche Entwicklung fortsetzen zu können. Englands
deutschfeindliche Politik geht bis auf 1870 zurück, bis
auf unsern Sieg über Frankreich. Immer herrisch,
wie ein Diktator, wollte es nicht, daß Deutsch=
land sich wirtschaftlich ausdehne oder in der
Welt den Platz einnehme, auf den es als
Macht ein Recht hatte. England wird jedem
die Kehle durchschneiden, der ihm in den Weg
kommt oder der ihm nach seiner Ansicht in
den Weg kommen könnte.

Großadmiral von Tirpitz zu einem Vertreter
der United Preß 1915.

□

Wo ist die Fahne Englands, sag an?!
Sieh hin, wo reiche Geschwader ziehn,
Gefüllt mit gefälschtem Gut
Und Bier und Bibeln und Rum.
Nach dem Land der Gemeinheit sieh dich um!
Dann, Fragender, wird dir der Frage Bescheid
Dort, dort macht die englische Flagge sich breit!

Der Engländer Henry Labouchère, Staatsmann
und Publizist.

□

Das Land der Märkte.

So verwandelt sich ihm fast alles unter der Hand
in ein Geschäft, die Staatskunst, die Diplomatie, die
Liebe und was sonst immer. England, in dem Märkte

114

aller Art blühen, hat auch den Heiratsmarkt und die
Ehevermittlung durch die Presse zur Blüte gebracht.
Ist es anderswo denkbar, daß der Bruch eines Heirats=
versprechens zu einer im gelingenden Falle recht ein=
träglichen Schadensersatzklage führen kann? Das stolze
Wort, das am Anfang des Weltkrieges in England ge=
sprochen wurde: „business as usual" war doch mehr
als eine Herausforderung; es war zugleich ein Trost
für das englische Bewußtsein, das eine Schmälerung
oder eine Störung des „business" gleichsam als Ge=
fährdung eines nationalen Heiligtumes empfände.

Dr. Max Frischeisen=Köhler
in „Das englische Gesicht".

□

Den Krieg auf die kürzeste Formel gebracht

hat die in Charleston, Südkarolina, erscheinende „Deutsche
Zeitung". Sie trägt seit dem Beginn des Krieges über
dem Kopf die Worte: „This war was not made in Germany but ‚made in Germany' is the cause of it!" (Dieser
Krieg wurde nicht in Deutschland gemacht, aber „in
Deutschland gemacht" ist die Ursache dieses Kriegs.) Besser
konnte die englische Krämerpolitik gar nicht gekennzeichnet
werden: England führte Krieg, weil es die gefährliche
deutsche Konkurrenz auf dem Weltmarkte aus dem Felde
schlagen will, und die Worte der Charlestoner „Deutschen
Zeitung" enthalten sozusagen das ganze Geheimnis des
Krieges, die Wahrheit in der Nußschale.

Börsenblatt für den Deutschen Buchhandel.

□

115

Die Mittel.

Um die Produktion und den Absatz seiner Waren zu fördern, wendete England alles an — großartige Erfindungen und kleinliche Listen, staunenswerte Heldentaten und Ausbrüche brutaler Gewalt, Bündnisse mit der Despotie wie mit der Revolution, Kanonenkugeln und Ideen, Brände und Bibeln, Opium und Missionare, Aufstachelung der Nationalitäten und Unterdrückung derselben. Je nach Bedarf, hat England bald die eine, bald die andere Seite hervorgekehrt.

Peez, Handelspolitische Flugblätter vom März 1864.

□

Um den wahnsinnigen Anspruch durchzusetzen, ein ganzes Volk wider seinen Willen zu besteuern, wurde ein Krieg gegen Amerika geführt, ohne Geschick und ohne Erfolg, und was noch ärger ist, mit einer Grausamkeit, die einem zivilisierten Volke zur Schmach gereicht.

Anmerkung: Diese schauderhaften Grausamkeiten wurden oft im Parlament erwähnt, ohne aber den geringsten Eindruck auf den König und seine Minister zu machen.

Der englische Geschichtsschreiber Buckle.

□

Weder Volk noch Parlament, weder Adel noch Geistlichkeit beherrschen England, sondern die Herren in Liverpool und in der City von London. Der Handel hat zu allen Zeiten groß gemacht,

116

aber auch klein; groß nach außen hin, aber klein im Her=
zen. Er kauft den Mut; er hat ihn nicht selbst ... Der
Handel hat nie größere Zwecke als sich selbst, und seine
erste Bedingnis ist die Ruhe. Ein Gewinn in Aussicht
gestellt — und die City von London geht mit jeder Dynastie.

Theodor Fontane, „Aus England
und Schottland".

□

Das Ringen um neue Märkte für englische Waren
gegen Frankreichs Handel und aufstrebende Industrie
war schärfer und volkstümlicher als der Kampf gegen
die Revolution.

Der englische Geschichtsschreiber Seeley.

□

Eine Krankheit, wie sie die Welt nur einmal sah, als
die Pizarros in Blut und Gold erstickten, schüttelt wieder
das Menschengeschlecht, England, London ist der Herd
dieses Fiebers. Die Woche verrinnt in rastlosem
Mammondienst und der Tag des Herrn ist
eitel Lüge und Schein. Mechanisch wandern die
Füße in die Kirche, aber die Seele durchjagt schon wieder
die Citystraßen und sucht in den Spalten des Börsen=
berichts nach Gewinn oder Verlust ...

Theodor Fontane, „Aus England
und Schottland".

□

117

Der Bankier des Weltkrieges.

Clemenceau hat uns vorgeworfen, daß wir bei An=
fang des Krieges nur ein kleines Heer hatten. Unsere
Regierung hat aber damals keinen Augenblick gezögert,
in vollem Umfange unseren Verbündeten Hilfe zu leisten
und ihren Forderungen nach weiteren Opfern nachzu=
kommen. Die Bereitstellung an Mannschaften hängt nur
von der anzuwendenden Methode ab und nur von dem
Umfang, wieviel Leute die nationale Arbeit entbehren
kann. Wir haben in England ein großes Heer für Frank=
reich an der Arbeit. Wir fördern Kohle für die fran=
zösische Marine, für die französischen Munitionsfabriken
und für einen Teil des französischen Volkes. Wir nähen
die Stoffe und Stiefel, mit denen das französische
Heer bekleidet wird. Wir bringen Stahl hervor für die
Munition unserer Bundesgenossen, und wir stellen die
Seeleute, die diese Waren nach Frankreich bringen.
Wir kaufen Fleisch für das französische Heer und Zucker
für das französische Volk und gewähren unseren Bundes=
genossen außerdem noch einen sich auf Millionen be=
laufenden jährlichen Kredit.

Frankreich hätte schon lange darüber unterrichtet
werden müssen, wieviel Männer wir brauchen, um unsere
Kriegs= und Handelsflotte zu besetzen. Schon dem eng=
lischen Volke kann man es schwer begreiflich machen, wie
nötig die Aufrechterhaltung und Regelung un=
serer Aus= und Einfuhr für unseren Wechsel=
kurs ist. In Frankreich wird man es noch weniger ver=

stehen. Trieben wir aber nicht eine solche Politik, dann
würden wir nicht unseren Verbündeten 500
Millionen Lstr. leihen können, und bald wür=
den wir am Ende unserer finanziellen Hilfs=
quellen sein, was auch das Ende der französischen
Hilfsquellen bedeuten würde.

Daily Chronicle, London 1916.

□

Zugegeben, daß unsere Finanzmittel größer sind,
als die des Feindes, aber Verschwendung wird eine noch
so große Überlegenheit gefährden, und unser Reichtum
ist nicht unermeßlich. Die amerikanische Anleihe war
sicher unwirtschaftlich; das Geld wird nicht weit reichen.
Wir werden sehr bald eine neue Anleihe brauchen. Wir
glauben nur, daß die Gläubiger mehr solcher Anleihen
wünschen, aber wir zweifeln, ob sie das Geld zu einem
weniger ruinösen Zinsfuß geben werden. Keine noch
so reiche Nation darf das Geld in die Gosse
werfen.

Der „Globe" 1915.

□

Und der springende Punkt:

Die Hauptschuld am Kriege, die geistige Ur=
heberschaft, wird die Geschichte England auf=
laden und gegen Rußland und Frankreich auf
Beihilfe erkennen. — Dem überlieferten englisch=
nationalen Standpunkte erschien Deutschlands Zer=
trümmerung als patriotische Pflicht, sobald Deutschlands

119

wirtschaftliche Entwicklung der englischen Vorherrschaft zur See gefährlich zu werden begann. Seine nackte, egoistische Rücksichtslosigkeit ist die Ursache des Weltkrieges. Gerade angesichts der Wahrheit, daß England seine Zukunft für gefährdet hielt, hat die Fiktion vom Schutz der belgischen Neutralität unangenehm und kleinlich gewirkt, und deshalb sind namhafte englische Publizisten dieser Täuschung öffentlich entgegengetreten. Aber auch sie haben den eigentlichen Kriegsgrund nicht genannt, sondern sich mit den französischen und russischen Vorkämpfern der russischen Zivilisation dahin geeinigt, daß man den deutschen Militarismus bekämpfe. Mit diesem auf Sachunkenntnis und oberflächlicher Denkweise berechneten Schlagwort haben sie nur unbewußt den Kern der Sache getroffen, denn sie haben sicher die Tatsache nicht bezeichnen wollen, daß mit der Zerstörung des deutschen „Militarismus" auch Deutschlands wirtschaftliche Kraft gebrochen und dadurch Englands wirtschaftliche Zukunft gesichert sein würde.

Der Schweizer Oberst Gertsch im
Berner „Intelligenzblatt".

☐

O Engelland, o Engelland, wie hast du dich benommen!
Als wie ein schlechter Krämersmann,
Der nimmt so oft und viel er kann.
O Engelland, o Engelland, das wird dir schlecht bekommen.

Aus einer Mainzer Wachstube zur Zeit
des Weltkrieges.

☐

120

Der englische Geschäftskrieg.

Wenn sich nur für jeden von uns einer fände, der per Prokura sterben wollte!

□

Der krankhafte Erwerbstrieb . . .

Bei anderen Nationen dagegen iſt der Erwerbs= trieb unmäßig, ja krankhaft zu nennen, ſo bei uns Engländern. Dieſes Trachten nach Beſitz iſt die Quelle unſerer Größe und unſerer Erniedrigung, unſeres Handels, unſerer Seemacht, unſeres ungeheuren Reich= tums, unſerer Erfindungen, aber zugleich auch die Quelle unſerer Streitigkeiten und Parteiungen, der erſchüttern= den Armut und der mehr als heidniſchen Verwil= derung und Entartung weiter Schichten un= ſerer Bevölkerung. Was aber noch beſonders merk= würdig iſt, iſt die Tatſache, daß es unter allen Völkern der Erde keines gibt, das ſo wenig wie wir imſtande iſt, ſich zu freuen. Die feinere Organiſation, die andere Völker auszeichnet, iſt uns ver= ſagt; unſer Sinn für Muſik iſt wenig entwickelt, unſer Schönheitsſinn nicht lebendig und ſcharf; unſere Feſte ſind laut und lärmend und enden mit Langeweile und Verſtimmung. Wir verſtehen nicht, zu genießen, uns zu freuen; unſer ein und alles iſt die Arbeit. Wir fahren

121

immer weiter fort zu sammeln und anzuhäufen, als wenn
wir durch Mehrung unseres Besitzes genußfähiger werden
könnten ... Und so ist denn die Wurzel all unseres Stre=
bens Geiz und Begehrlichkeit, nicht der Wunsch mehr zu
genießen, sondern mehr zu haben.

◻

In dem ersten Dezennium Georgs III. treten auch
die Nabobs oder ostindischen Abenteurer, welche in
Scharen mit der Beute Hindostans beladen, zurückge=
kehrt waren, zuerst in den Vordergrund des politischen
Lebens. — — — — „Seit einigen Jahren,“ sagte Chatham
in einer 1770 gehaltenen Rede, „hat ein Einströmen von
Reichtum in dieses Land stattgefunden, das mit vielen
schädlichen Folgen verknüpft war, weil derselbe nicht der
regelmäßige und natürliche Ertrag der Arbeit und des
Gewerbefleißes war. Die Reichtümer Asiens sind
uns zugeflossen und haben uns nicht nur asia=
tischen Luxus, sondern, wie ich fürchte, auch
asiatische Regierungsgedanken mitgebracht.“

◻

Der Götze.

Seit 300 Jahren betet Europa einen Götzen an, und
wenn Europa dessen Tempel ist, so ist England sein Aller=
heiligstes; dieser Götze ist das Gold. Die Engländer be=
kehren die wilden „Hunde“ um des Handels willen, nicht

122

gerade zum Christentum, sondern zu Kleidern aus ihren
Manufakturen, und so schützen sie auch Spanien und
Portugal; sie kaufen mit dem Schweiße und den Schätzen
der armen Indier, wie Schlächter auf der Lämmerweide,
Menschen. Sie kaufen Menschen in Afrika, um sie in
Amerika für sich arbeiten zu lassen, und in Europa für
die Schlachtbank, und leider finden sie Verkäufer selbst
unter großen Nationen, deren Kaufschilling sie euphe=
mistisch Subsidien nennen, oder gar Anleihen, deren
Interessen man mit Köpfen, Armen und Füßen zahlt.

· Karl Julius Weber im „Demokritos".

□

Die tönernen Füße Englands sind das
gelbe Fieber des Goldes, das Verkauftsein
aller Seelen an den Mammonsteufel. Die
Krankheit ist da und wühlt zerstörend wie ein
Gift im Körper, aber unberechenbar ist es,
wann die Verfaultheit sichtbar an die Ober=
fläche treten wird.

Theodor Fontane „Vor 60 Jahren".

□

Der Engländer bekennt heute nicht mehr:
Ich glaube an Gott, den allmächtigen Vater,
Schöpfer Himmels und der Erden, sondern:
Ich glaube an Vater Dollar, den alles Be=
wirkenden.

John Ruskin, 1880.

□

123

Es ist möglich, daß die Engländer, um das Andenken ihrer Verfolgungen auszulöschen, die Rückkehr meines Sohnes nach Frankreich begünstigen; aber um mit England in guter Eintracht zu leben, muß man um jeden Preis seine Handelsinteressen begünstigen. Diese Notwendigkeit schließt zwei Dinge in sich: entweder England bekämpfen, oder sich mit demselben in den Welthandel teilen. Nur das Zweite ist heutzutage möglich.

Napoleon I. Auf dem Sterbelager.
Aus „Napoleons Leben auf St. Helena",
von Heinrich Conrad herausgegeben.

□

„Eure ganze Politik, Friedrich der Große hat es längst gesagt, besteht darin, mit der Börse in der Hand an alle Türen anzuklopfen."

Napoleon I.

□

„Glauben Sie nun endlich, was ich Ihnen immer von den Engländern sagte? Die Leute haben kein Gefühl für Edelsinn, es sind nur, wie Paoli sagte, mercanti, Krämer!"

Napoleon I. zu General Gourgaud.
Aus „Napoleons Leben auf St. Helena",
von Heinrich Conrad herausgegeben.

□

„Ist man denn wirklich nur ein Hund, wenn man nicht zur englischen Nation gehört? Ist es wahr, daß ein Engländer seine Handlungen nur nach seinem persönlichen Vorteil abwägt? Man hat es oft

124

behauptet, ich habe es aber nie glauben wollen, obwohl
es Tatsache ist, daß Londoner Bankiers im Jahre
1815 mir Millionen geliehen haben, um Eng=
land zu bekriegen!"

Napoleon I zu Admiral Malcolm am 3. Mai 1817.
Aus „Napoleons Leben auf St. Helena",
von Heinrich Conrad herausgegeben.

◻

Es ist eine neue Art von Fremdherrschaft, die Eng=
land über seine Verbündeten und über die Neutralen auf=
zurichten begonnen hat: unverantwortliche Zwingvögte
hat es überall gesetzt. Ein Netz von Angeberei, Verdäch=
tigungen, Schädigungen der einzelnen Wettbewerber
gegeneinander bringt Neid und Mißtrauen in die Handels=
welt der fremden Völker. Die obersten Richter sitzen
unerreichbar fern in England. Dort entscheiden sie über
Wohl und Wehe. Und für ihren Spruch gilt keine
Rechtssatzung, sondern nur der Geschäftsvorteil
Albions. Um dieses Vorteiles willen hat der Neid die
Briten in den Kampf gegen Deutschland getrieben.

Dr. Kurt Baschwitz im „Hamburger Fremdenblatt".

◻

Der Befreier.

Englands schwarze Riesenlurche
Wälzen sich durchs Mittelmeer.
Eine weiße Wellenfurche
Glitzert rauschend hinterher.

125

Hellas jauchze! Dein Befreier
Pocht ans Tor, die Faust voll Geld,
Ein Kolumbus, der die Eier
Schockweis' auf die Spitze stellt.

Klingelnd mit den Narrenschellen,
Das Gesicht so weiß wie Kalk,
Kommt er von der Dardanellen
Blutbespritztem Katafalk.

„Auf dem Schutzherrn der Neutralen
Tür und Tor! Sonst Kampf und Tod!
Belgiens Freund wird alles zahlen,
Aber Not kennt kein Gebot."

„Alles zahlen?" — wird die Zunge
Seiner Lordschaft plötzlich schwer?
Wohl ein Schlagfluß! Junge, Junge!
Wenn das nun die Wahrheit wär'?

Edgar Steiger (1916).

□

Die Gorillas vermissen wir noch . . .

John Bull würde auch Gorillas in die Ba-
taillone einreihen, wenn sie sich dazu abrichten
ließen. Nur selbst zu marschieren, das überlegt er sich
trotz aller Verlockungskünste des Zirkusleiters Kitchener
und seiner anderen Clowns. Wenn nämlich der Geld=

beutel in Frage kommt, beginnt John Bull
über Vaterlandsliebe nachdenklich zu werden.

Spiridion Gopcevic
„Aus dem Lande der unbegrenzten Heuchelei."
(Schlefische Verlagsanstalt vorm. Schottländer, Berlin

□

Ein geschäftliches Angebot.

Nachstehende Einladung wurde von englischen Flie=
gern im Weltkrieg auf die deutschen Linien herabge=
worfen. Wir geben sie im Wortlaut wieder. Sie wird
daheim wie überall im Felde gebührend aufgenommen
werden:

Ein Offern zu der fleissig Deutscher Soldaten
from Da Officier Commandeering der Englische Soldaten vor sie.

Ich weiss sie sind Soldaten das sind sehr fleissig.
Wir kannen mutig soldaten sehr leiden aber sie mussen jetzt wissen das der seig ist unsere. Sie sind sehr
mutig mein komeraden aber warum wollen sie krieg
machten wenn sie kann der Friede haben.

Bitte aufpassen Sechs uhr (abend) 6 th Dezember 1915 zu Sechs uhr (morgen) 7 th Dezember 1915.
Jedes Deutscher soldat (order soldaten) das kommen
zu unsere zitte über das rechts order links, das Boutillerie Weg, wo das Fluss geht wollen haben en recht
gut Englische Grusse. Sie wollen nach England fahrn
und haben da viel zu essen. Wenn das krieg ist fertig, sie kannen nach Deutschland zurick fahrn ganz

127

frie, oder zu einen anderen Lande ob sie wollen. Wenn sie in England sind wir wollen jaden soldat 125 marks geben. Ein Englishe soldat, er kann et wass Deutsch sprechen, will on das Boutillerie Weg watton.

Ich guaranteer sie alle das ich haben hier geschrieben. Zu leben ist gut — Danken sie ob ihr hause — — — Machten sie kein mehr krieg, aber kommen und leben sie wohl. Das zeit ist blos from Montag sechs uhr (abend) 6 th Dezember 1915 zu Deainstag sechs uhr (morgen) 7 th Dezember 1915. Durch diese zeit mein officiers und soldaten will kein krieg on das Boutillerie Weg machten. Sie mussen on das zitte der Weg laufen und es muss ganz dunkel sein. Sie kannen suf mir rechnen Kommen Sie jetzt ist der zeit.

□

Die Knechte sollen kämpfen . . .

□

Ein Werbeaufruf des Lord Kitchener!

Fünf Fragen an die Herrschaften, welche männliches Personal beschäftigen:

1. Haben Sie einen Kammerdiener, einen Stall=knecht, einen Chauffeur, einen Gärtner oder einen Wild=

128

hüter in ihren Diensten, der in diesem Augenblick Ihrem König und Ihrem Land dienen sollte?

2. Haben Sie einen Mann, der Sie bei der Tafel bedient, anstatt ein Gewehr zu bedienen?

3. Haben Sie einen Mann, der in Ihrem Garten schippt, anstatt Schützengräben aufzuwerfen?

4. Haben Sie einen Mann, der Ihre Kutsche lenkt, anstatt einen Transportwagen zu führen?

5. Haben Sie einen Mann, der auf Ihr Wild aufpaßt, anstatt Ihre Heimat zu schützen?

Eine große Verantwortlichkeit liegt auf Ihnen. Wollen Sie Ihr persönliches Wohlbehagen opfern für das Wohl des Ganzen?

Fordern Sie Ihr Personal auf, sich heute einzuschreiben!

Die Adresse des nächsten Werbebureaus ist auf jedem Postamt zu erfahren.

God save the King!

„Morningpost" 19. Januar 1915.

◻

Die Opium-Schande.

Als die Engländer von Arakan Besitz nahmen, war dort auf den Opiumgenuß als Strafe der Tod gesetzt wie in China. Das Volk war ein hart arbeitendes, nüchternes, argloses Geschlecht. Aber was geschah?

Erwin Rosen, Britenspiegel.   9   129

Die Engländer ließen durch bengalische Agen=
ten Opiumläden eröffnen, um in den Leuten
eine Begier nach dem Luxusartikel zu erregen.
Junge Leute wurden herbeigerufen, und umsonst damit
regalliert. Nach einiger Zeit verkaufte man es um einen
geringen Preis; wieder nach einiger Zeit ward dieser
erhöht. Die Taschen der Kaufleute füllten sich, die Ein=
nahmen der indischen Regierung stiegen beträchtlich,
und das Resultat?

Auf ein schönes, gesundes Geschlecht starker Männer
folgt jetzt eine verkommene Generation leidenschaftlicher
Opiumraucher und =esser, leichtsinniger Spieler und
Verschwender, die sich durch diese Laster um ihre gei=
stigen und physischen Kräfte zugleich bringen. Gibt es
eine teuflischere Art, ein Volk systematisch zu vergiften?
Dieselbe Wirkung zeigt sich in Assam, wo der Opium=
konsum unter Männern, Frauen und Kindern längst
so allgemein ist, daß schon die kleinsten Kinder an Fetzen
saugen, die mit Opium getränkt sind.

Die Verarmung des Landes durch den Opium=
genuß ist eine unleugbare Tatsache. Und nicht bloß
ein großer Teil des Bettels in China, auch unzählige
Verbrechen werden durch das Opium erzeugt. Eine
Menge von Diebstählen und Raubanfällen wird nur
begangen, um sich die nötigen Mittel zur Bezahlung
der Opiumrechnung zu verschaffen. Nicht nur, daß
der Raucher gewöhnlich sich selbst um alle geistige Energie
und sittlichen Grundsätze bringt, sondern es kommt vor,
daß Männer ihre Kinder verkaufen, ja, ihre Weiber

130

vermieten, nur um Geld zur Befriedigung ihrer Opium=
leidenſchaft zu bekommen! Eine klar zu Tage liegende
Wirkung der britiſchen Opiumpolitik iſt die, daß die
ohnehin ſo ſtarken chineſiſchen Antipathien gegen alles
Ausländiſche dadurch vielfach bis zur Feindſeligkeit ge=
nährt und geſteigert werden.

Biographie von Warren Haſtings.

□

1780 ſtationierte die Oſtindiſche Compagnie zwei
kleine Schiffe als Opium=Depot in der Larks=Bai bei
dem heute noch portugieſiſchen Macao. 1781 war das
ausgeſandte Quantum bereits auf 2800 Kiſten geſtiegen;
der chineſiſche Käufer konnte aber in China dafür keinen
Markt finden, ein Beweis, daß in der Maſſe des chine=
ſiſchen Volkes das krankhafte, unaufhörliche Verlangen
nach dieſem Reizmittel noch nirgends exiſtierte. Dieſes
Verlangen zu wecken und damit ein neues,
unabſehbares verheerendes Laſter dem chine=
ſiſchen Volk einzuimpfen, war fortan das
teufliſche Streben der Oſtindiſchen Compagnie,
das ſie troß anfänglicher Mißerfolge mit eben ſo viel
Schlauheit als Rückſichtsloſigkeit verfolgte.

Theodor Chriſtlieb
„Der indobritiſche Opiumhandel und ſeine Wirkungen".

□

In Oſtindien war die Opiumbereitung ein Mono=
pol der mohammedaniſchen Herrſcher geweſen. Als
durch den Sieg Clives bei Plaſſey 1757 die Beſißungen

131

des Großmogul an die englische Ostindische Compagnie
übergingen, fiel ihr auch dieses Kronrecht als Beute=
stück zu, und von ihr ging es nach Auflösung der Com=
pagnie infolge des indischen Aufstandes 1858 an die
Königin von England, nunmehr Kaiserin von Indien,
über, so daß diese jetzt „die Eigentümerin der größten
Spezereifabrik in der ganzen Welt" ist. Die bedenk=
liche Erweiterung des Opiumhandels aber, die gewalt=
same Ausdehnung des Opiumgebrauches in China von
einem Arzneimittel für Kranke zu einem Genußmittel
für Gesunde fällt vor Allem der Compagnie
und ihrer rücksichtslosen habgierigen Handels=
politik zur Last, und beginnt sehr bezeichnend in der
traurigen Periode, als unter Warren Hastings (Gou=
verneur von Bengalen seit 1772) ungestraft so viel Un=
recht in Indien von Seiten der Engländer geschah.

Theodor Christlieb
„Der indobritische Opiumhandel und seine Wirkungen".

□

1840 rief Gladstone im englischen Parlament aus:
„Die Chinesen hatten ein Recht, Euch von
ihren Küsten zu vertreiben, als sie fanden,
daß ihr diesen infamen und scheußlichen Schmug=
gel nicht aufgeben wolltet. Einen nach seinem
Ursprung ungerechteren Krieg, der unser Land
mehr mit bleibender Schmach bedeckte, kenne
ich nicht!"

□

132

Schlechte Menschen.

Ich kann die Einfuhr dieses Giftes nicht länger verhindern. Schlechte Menschen vereiteln meine Wünsche. Aber aus dem Laster und dem Elend meines Volkes will ich keinen Nutzen ziehen.

Kaiser Hienfong gegen die Opiumsteuer.

□

Der Sklavenhandel.

An der Schwelle des 19. Jahrhunderts urteilt der milde und zugleich unbeirrbar scharf blickende Kant, England sei „der gewaltsamste, kriegerregendste Staat". Wie gottverlassen und moralisch das Volk unter dem Einfluß dieses neuen Geistes bald wurde, das möge ein einziges Beispiel vor Augen führen. Wie werden in englischen Schulen die Schlachten gefeiert, die Marlborough mit seinen deutschen Soldaten gewann! Was war nun ihr wahres Ziel und ihr Erfolg? England das Monopol des Sklavenhandels zu sichern!

Houston Stewart Chamberlain, Kriegsaufsätze.

□

Nach den Utrechter Friedensverträgen (1713) hat der Sklavenhandel „den Mittelpunkt der ganzen englischen Politik" ausgemacht. Solange dieser Handel einträglich blieb, betrieben ihn die Engländer; Liver=

133

░░░

pool z. B. ist nicht durch seine Industrie, sondern durch das Erjagen und Verschachern unseliger Millionen von Schwarzen groß geworden.

Der englische Geschichtsschreiber L e c k y.

□

Die entsetzlichen Grausamkeiten und die Ruch=
losigkeit des Liverpooler Sklavenhandels, der Ruin
Afrikas und die Zerstörung der Menschenwürde er=
regten bei keinem Engländer Mitleid.

Der englische Geschichtsschreiber G r e e n.

□

An sich nicht wichtig, aber voll schauerlicher Be=
deutung für die Beleuchtung der damaligen Gefühls=
sphäre ist der Umstand, daß das Schiff, auf welchem
Hawkins seine zweite Expedition zur Eröffnung des
Sklavenhandels unternahm, „Jesus" hieß.

Der englische Geschichtsschreiber L e c k y.

□

Ganz Afrika wurde von inneren Kriegen durch=
wühlt und von Banden eingeborener Sklavenhändler
durchstreift, welche Opfer für den englischen Käufer
aufjagten, dessen unheilbringender Einfluß, wie der
einer feindseligen Vorsehung, sich über weite Land=
striche erstreckte, wo noch nie das Antlitz eines weißen
Mannes erblickt worden war.

Der englische Geschichtsschreiber L e c k y.

□

134

Es ist jedoch richtig, daß sich schon sehr früh eine gewisse Agitation gegen die Sklaverei in einigen amerikanischen Staaten nachweisen läßt, daß namentlich in den nördlichen Provinzen eine große und allgemeine Abneigung gegen die übermäßige Einfuhr von Sklaven herrschte, und daß jeder Versuch, diese Einfuhr zu verbieten oder zu beschränken, von England zurückgewiesen oder vereitelt ward.

Der englische Geschichtsschreiber Lecky.

□

Goethe über den englischen Sklavenhandel.

Während die Deutschen sich mit Auflösung philosophischer Probleme quälen, lachen uns die Engländer mit ihrem großen praktischen Verstande aus und gewinnen die Welt. Jedermann kennt ihre Deklamationen gegen den Sklavenhandel, und während sie uns weismachen wollen, was für humane Maximen solchem Verfahren zugrunde liegen, entdeckt sich jetzt, daß das wahre Motiv ein reales Objekt sei, ohne welches es bekanntlich die Engländer nie tun, und welches man hätte wissen sollen. An der westlichen Küste von Afrika gebrauchen sie die Neger selbst in ihren großen Besitzungen, und es ist gegen ihr Interesse, daß man sie dort ausführe. In Amerika haben sie selbst große Negerkolonien angelegt, die sehr produktiv sind und jährlich einen großen Ertrag an Schwarzen liefern. Mit diesen versehen sie die nordamerikanischen Be-

135

dürfnisse, und, indem sie auf diese Weise einen höchst einträglichen Handel treiben, wäre die Einfuhr von außen ihrem merkantilischen Interesse sehr im Wege und sie predigen daher nicht ohne Objekt gegen den inhumanen Handel.

Goethe in einem Gespräch mit Eckermann.

Das Eisen.

Deutschland ist weich und träumt.

Auch ich lag tief in der Erde und habe gesäumt und
gesäumt ...

Dann kam meine Stunde ... Nun bin ich ein Schwert,
und der Funke fährt
aus dem Erz!

Deutschland sei hart und stähle dein Herz!

Ich kam aus dem Grund;
du kamst aus dem Grund —

Auf einmal heraufgerissen ins blaue Weltenrund!

Krieg tobt um uns her:

Wir gehören dem Licht und gehören uns nicht mehr!

Ich wuchs durch Felsen;
und es spricht die Macht:
„Ich ließ sie Berge wälzen
auf Deutschland, meinen Baum.   Er wuchs hindurch
und grünt und überdacht
die Welt!"

Ich bin das Eisen, dein Eisen! Erwache, Held,
der das Weltgeschick schmiedet! Triff gewaltig und scharf,
ein heiliges Muß, das nichts Halbes tun darf!

Mit beiden Händen fasse mich
wie das Kreuz am Griff und gehe wie der,
der geboren ward mit dem Sieg in sich,
bis ans Ende!

Vollende,
wozu dich aufgerufen der Weltenherr!

Leo Sternberg-Rüdesheim (1914).

□

137

England und die Völker

□ □ □

An England.

Kein Meuchelmörder ist dir heut zu schlecht,
Wo's gilt, den deutschen Kaufmann zu vernichten;
Tartaren und Kosaken sind dir recht,
Was weißt du Krämer noch von Stammespflichten!

Die Ehrlichkeit soll endlich aus der Welt!
Du rufst sogar noch die Mongolenkatze
Und hetzest sie auf unser kleines Feld
Am End' der Welt — sie springt in wildem Satze.

Die ganzen Völker sind dein Aufgebot,
Die Fluren beben, und die Häuser brennen;
Du aber freust dich: Deutschland ist in Not,
Und schmunzelst, weil die andern für dich rennen.

Blut ist für dich nur Handelsgegenstand,
Du reibst die Hände dir mit schlauem Lachen
Und fühlest sicher dich vor Tod und Brand
Und denkst als Krämer ans Geschäftemachen.

Und stehst doch hart vor deinem Untergang!
Fällst in die Gruben, die du uns gegraben!
Wirst hören bald der Russen Schlachtgesang,
Wirst bald ein hallendes Majuba haben!

141

□□□□□□□□□□□□□□□□□□□□□□□□□□□□□□□□□□□□□□□

Wenn vor Hongkong der Katze „Bansai!" gellt,
Und wenn am Euphrat deine Söldner bluten,
Wenn bei Omdurman sich der Derwisch stellt
Und rot von deinem Blut des Ganges Fluten —

Dann denk an uns! Und jetzo Kampf und Dampf!
Der Kaufmann will es mit dem Krämer wagen!
Er kennt den Handel, aber auch den Kampf,
Und seine Kreuzer werden es dir sagen!

Gorch Fock (1915).

□

Der Herr der Welt.

Nicht mit Unrecht war der Engländer ge=
wohnt, sich als Herr der Welt zu fühlen. Dieses
Gefühl beruhte nicht — jedenfalls nicht in erster
Reihe — auf der Anzahl der mittelbar und un=
mittelbar angegliederten Quadratmeilen und
der fast an die halbe Milliarde reichenden Men=
schenschar, die sich zur englischen Oberhoheit
bekennt, vielmehr auf dem Bewußtsein der
inneren Kraft, der Kraft des Willens, die einem
kleinen Inselvolk die Unterjochung eines Drit=
tels der gesamten Menschheit möglich gemacht
hat. Im Verhältnis zum Reich ist selbst die
englische Flotte klein. Diese Herrschaft Britan=
niens ist auf innerer Grundfeste aufgebaut ge=
wesen: auf der Stoßkraft und Haltekraft des
Wollens, auf Fleiß, auf kühnem Wagegeist,

142

auf rücksichtsloser Konsequenz. Der Engländer
ist vor keiner Grausamkeit, vor keiner Unmora=
lität zurückgeschreckt, ist aber auch selber vor
keinem Wagnis, vor keinem Tode zurückgebebt;
es gab nichts, was er nicht wagte; Jünglinge
von einigen zwanzig Jahren haben — als be=
stellte „Berater" asiatischer Fürsten — allein
unter Millionen „Farbiger", von Haß und
Mordsucht rings umgeben, ganze Reiche ver=
waltet, umgestaltet und nach und nach unter
englische Herrschaft gebracht . . . Dies nur als
Andeutung und Beispiel. Über diese englische
Weltherrschaft mag man denken, wie man will
— ich meinerseits halte sie für grundunsittlich
und darum verderblich, außerdem aber über=
haupt für veraltet und daher der Zukunft, in
die wir im zwanzigsten Jahrhundert eintreten,
nicht angemessen noch gewachsen — immerhin
ist folgendes sicher: über eine so unerhörte Ent=
wicklung der kosmischen Gewalt, genannt
„Mensch", vermag einzig eine noch mächtigere
Entwicklung derselben Gewalt zu siegen, und
das wird nur eine sein können, bei der das
charakteristische Organ des Menschen — der
Geist — nach allen Seiten tiefere Wurzeln
geschlagen hat und infolgedessen sich üppiger
entfaltet. Ohne Willen läßt sich bei uns Men=
schen nichts machen; einem ebenso starken Wil=
len, wie dem seinen, gepaart mit reiferem

143

Geiſte, muß der Engländer notwendig unter=
liegen.

Houſton Stewart Chamberlain.

□

Divide et impera!

Ich glaube, daß England der Feind des euro=
päiſchen Friedens iſt und daß es keinen Frieden auf
Erden und kein Wohlgefallen unter den Menſchen geben
kann, bis ſeine Herrſchaft über die Meere durch Europa
gebrochen iſt. Sein Anſpruch, die Meere zu beherrſchen,
und die ſich aus dieſem Anſpruch erhebenden Konſe=
quenzen, ſind die Haupturſachen der internationalen
Uneinigkeit, die den Frieden der Welt bedroht.

Um dieſen Anſpruch aufrecht zu erhalten,
iſt England gezwungen, überall in der Welt
zu intriguieren, Streit zu ſtiften, Völker auf=
einander zu hetzen, die ſonſt befreundet ſein
würden, Bündniſſe und Ententen abzuſchließen,
Völkerfreundſchaften zu zerbrechen. Alles aus
dem gleichen Beweggrund: Divide et impera!

(Geſchrieben im März 1913.)
Überſetzt aus Sir Roger Caſement, „The crime against Europe“
The Continental Times Co., Berlin 1915.

□

144

Der Feind des Friedens.

□

Der Weltreisende, der Blutspuren sieht, braucht nicht nach dem Schlächter zu fragen, es ist der Engländer; wo es offene Wunden, fließende Tränen gibt, ist man sicher, ihn zu finden, barbarisch, egoistisch, grausam. Sprecht ihm nicht von Menschlichkeit; das ist Ironie, er ist ohne jedes natürliches Gefühl.

Der französische Schriftsteller E. Lebrain.

□

Englische Skrupellosigkeit.

England hat im Laufe der neuen Geschichte jederzeit das Bedürfnis der Verbindung mit einer der kontinentalen Militärmächte gehabt und die Befriedigung derselben, je nach dem Standpunkt der englischen Interessen, bald in Wien, bald in Berlin gesucht, ohne, bei plötzlichem Übergang von einer Anlehnung an die andere, wie im Siebenjährigen Kriege, skrupellose Bedenken gegen den Vorwurf des Imstichlassens alter Freunde zu hegen.

Fürst Bismarck.

□

Der Verrat an der weißen Rasse, am Germanentum, an der europäischen Kultur, den England beging, als es sich mit den Gelben verband, um den deutschen Besitz in die gierigen Hände zu ziehen, das ist eine

Erwin Rosen, Britenspiegel.   10

Schuld, für die es kein Verzeihen gibt, wie auch nicht dafür, daß wiederum England den Krieg auch in den dunklen Erdteil trug, daß es in Togo und Kamerun und Südwest sich Lorbeeren zu pflücken suchte, die ihm im ehrlichen Kampfe versagt blieben. Aber es ist ja englische Art, auf den Kampfplätzen anderer Nationen gleich dem Schakal zu schleichen und sich Beute zu rauben. Noch hat es in diesem Weltkriege aus eigener Kraft kaum einen Sieg errungen, und doch hat es in den deutschen Kolonien Afrikas, auf den Südseeinseln, in Ägypten, Lemnos, Nordfrankreich und Saloniki seine Zähne eingeschlagen. Tsingtau allerdings ist die Beute der gelben Freunde geworden. Aber wer immer der Herr dieses Teiles wundervoller deutscher Kulturarbeit wurde: Deutschland war doch beraubt und Deutschlands Beraubung ist das letzte Kriegsziel Englands immer geblieben.

Leipziger Neueste Nachrichten 1915.

□

Ihr klagt über eure Leiden; in Frankreich leidet man aber noch mehr, wir leiden alle, und dies wird so lange dauern, als der gemeinschaftliche Feind, der Tyrann der Meere, der Vampyr eures Handels, nicht zur Vernunft zurückgebracht ist.

Napoleon I. zu den Holländern.
Aus „Napoleons Leben auf St. Helena",
von Heinrich Conrad herausgegeben.

□

146

Mehr als in allen früheren Kriegen hat sich in dem gegenwärtigen die englische Regierung die Oberseeherr=schaft angemaßt und übt mit der Schaffung eines See=rechts nach ihren Wünschen, das sich mit den wahren Grundsätzen des Völkerrechts nur schwer vereinbaren läßt, auf die anderen befreundeten und neutralen Staaten eine widerrechtliche Gerichtsbarkeit mit der Behauptung, sie sei berechtigt, und mit der Absicht, sie zu einem unver=jährbaren, durch alle europäischen Gerichtshöfe bestätigten Recht zu machen.

Der preuß. Staatsmann Graf H a u g w i tz, 1801.

□

Frankreichs ganze Seemacht muß vernichtet werden.

Da die Zerstörung Frankreichs als Seemacht für die Sicherheit und Ruhe der gesitteten Völker unumgäng=lich notwendig ist, so darf man ihm unter keinerlei Um=ständen die Befahrung des Meeres gestatten. Auch muß man ihm seine Kolonien nehmen. Macht die fran=zösische Nation Friedensvorschläge, so ist ihr zu ant=worten: Nein, wir wollen mit euch in keinem freund=schaftlichen Verhältnisse stehen. Denn wir betrachten euch wie grimmige Tiere, denen man sich nur ohne Ge=fahr nähern kann, wenn sie in Ketten liegen. Wir be=trachten euch wie bösartige Bestien, die alle von ihnen berührten Gegenden verpesten. Euer Name ruft in unser Gedächtnis nichts als Bilder der Plünderung, der Zer=störung und des Blutvergießens zurück. Nichts wollen

147

wir hören von euren Anerbietungen, von Bündnis und
Freundschaft.

Indessen wünschen wir nicht, euer Unglück zu ver=
größern. Ziehet eure Truppen aus den benachbarten
Ländern und von den Küsten zurück, die ihr besetzt habt,
entwaffnet eure Flotten, stellt eure Seerüstungen ein.
Dann sollen die englischen Kriegsschiffe aufhören, die
französischen Küsten zu beunruhigen. Wir wollen euren
Handel nicht mehr stören, wiewohl wir die Bedingung
vorschreiben: daß ihr dazu weder französische Schiffe,
noch französische oder Frankreich untertänige Seeleute
gebraucht. Unter dieser Bedingung allein kann England
einen Frieden mit euch schließen, Eure ganze Seemacht
muß vernichtet werden.

Der englische Geistliche Hankin 1805.

□

England gegen den französischen Militarismus.

Wir kämpfen, um die ganze Welt vor dem barba=
rischen französischen Joch, vor dem militärischen
Despotismus Frankreichs zu bewahren. Wir
kämpfen für die Unabhängigkeit aller Nationen, selbst
derjenigen, die gegen unser Schicksal gleichgültig oder
verblendet eifersüchtig auf unseren Wohlstand sind.

Manifest der Londoner City-Kaufmannschaft
von 1804.

□

148

Allerlei vom Völkerrecht.

□

Wir verfahren gegen fremde Nationen höchst scham=
los. Wir bestehen auf dem Vollzuge des Völkerrechts,
wenn es uns nützlich ist. Im andern Falle setzen wir
uns unbekümmert um die Rechte anderer darüber hin=
weg. Die Geschichte des Seerechts, das ich Seeunrecht
nennen möchte, ist ein unauslöschliches Zeugnis
des ungezügelten Egoismus und der Habgier
des englischen Volkes und seiner Regierung.

Lord Derby, im Jahre 1857.

□

Über Bord mit dem Völkerrecht!

Bei Ausbruch des Krieges fliegen alle diese
Paragraphen des Völkerrechts wie Fetzen über
das Wasser.

Lord Selborn, der frühere englische Marineminister.

□

Der englische Völkerrechtsbruch gegen den Kreuzer „Dresden".

Der Kreuzer lag in der Cumberlandsbucht der
Chilenischen Insel Juan Fernandez mit Maschinenha=
varie und ohne Kohlen in nur 400 Meter Abstand vom
Lande zu Anker, als er am 14. März (1915) früh von
dem englischen Panzerkreuzer „Kent", dem kleinen
Kreuzer „Glasgow" und dem Hilfskreuzer „Orama"

149

angegriffen wurde. Der Feind eröffnete auf 3000 bis 3500 Meter Entfernung das Feuer, das die „Dresden" erwiderte. Gleichzeitig erhob der deutsche Kommandant Protest gegen die Eröffnung der Feindseligkeiten in neutralen Gewässern.

Der englische Kommandant beantwortete diesen Protest mit der Erklärung, daß er Befehl habe, die „Dresden" zu vernichten, wann und wo er immer sie träfe und daß alles übrige durch die Diplomatie geregelt werden würde.

Da der Kommandant S. M. S. „Dresden" einsah, daß ein weiterer Widerstand des bewegungsunfähigen Schiffes gegen die feindliche Übermacht aussichtslos war, sprengte er sein Schiff in die Luft. Es gelang dem größten Teile der Besatzung, sich an Land zu retten. Die Verluste betrugen drei Tote, acht Schwerverwundete und sieben Leichtverwundete. Mehrere Sprengstücke krepierender englischer Granaten fielen auf neutrales Land nieder und beschädigten ein in der Nähe zu Anker liegendes chilenisches Handelsschiff.

Leipziger Neueste Nachrichten.

◻

Versuche, den Krieg zu zivilisieren, sind Versuche, den Tiger zu zähmen und führen zu Überraschungen, und Enttäuschungen. Die beste Kriegführung ist und bleibt, dem Feinde den größtmöglichen Schaden zuzufügen, damit er sich desto schneller ergibt.   „Morningpost", London.

◻

150

Vom englischen Kapergeschäft.

Nacheinander hat England vernichtet oder erbeutet an Flotten: 1793 bei Toulon eine französische, 1797 bei St. Vincent spanische, 1797 bei Camperdown holländische, 1798 bei Abukir französische, 1798 bei Neapel neapolitanische, 1799 Rest der holländischen, 1801 bei Kopenhagen dänische, 1805 bei Trafalgar französisch = spanische, 1807 bei Kopenhagen zweite dänische, 1827 bei Navarin (mit Frankreich und Rußland) ägyptisch=türkische, 1904 bei Port Arthur und Tschuschima (durch Japan) die russische Flotte.

A. von Peez und Paul Dehn, Englands Vorherrschaft (1912).

□

Im Kriege gegen Frankreich weggenommen und als tauglich in die englische Flotte eingestellte Schiffe der fremden Handelsflotten:

im Jahre 1801	2779,	im Jahre 1807	2764,
„ „ 1802	2827,	„ „ 1808	3222,
„ „ 1803	2286,	„ „ 1809	3547,
„ „ 1804	2533,	„ „ 1810	3903,
„ „ 1805	2520,	„ „ 1811	4023,
„ „ 1806	2564,	„ „ 1812	3899.

Der englische Statistiker Porte.

□

Ohne Kriegserklärung, ohne Warnung, ohne Ermächtigung auch des Parlaments wurden auf einfachen Beschluß eines Ministerrats vom 4. April 1806 sämtliche

151

preußifche Handelsfchiffe, 300 bis 400, die in englifchen
Häfen lagen, mit Befchlag belegt; der Gefamtwert der
Waren, die fie an Bord hatten, ward auf 20 Millionen
Mark gefchätzt und gegen Ende des Monats fchon be=
rechnet, daß binnen kurzem 28 Millionen Taler aus dem
preußifchen Handel verfchwunden fein würden.

A. von P e e z und P a u l D e h n , Englands Vorherrfchaft (1912).

□

Englifche Gefchichtsfchreiber rühmen dem Minifter
Pitt nach, daß während feiner Verwaltung die Zahl der
britifchen Kriegsfchiffe von 300 auf 700 und die Zahl
der großen Kauffahrer von 8000 auf 20000 hinaufging.
Um die Jahrhundertwende zählte die englifche Handels=
flotte auf rund 20 000 Schiffen rund 140 000 Matrofen.

A. von P e e z und P a u l D e h n , Englands Vorherrfchaft (1912).

□

Die Jronie der Weltgefchichte.

Es ift eine Jronie der Weltgefchichte, daß der
Staat, der am öfteften in der Gefchichte vertragliche
Gelöbniffe gebrochen und das Völkerrecht mißbraucht
hat, fich auch hier wiederum als Vertreter des Völker=
rechts auffpielt, das ihm nur da gilt, wo es feinen fou=
verän herrfchenden Vorteil in feiner Aufrechterhaltung
erblickt, das anzuerkennen er fich aber felbft da weigert,
wo es die Einlöfung der fundamentalften Menfchlich=
keitsrechte bedeutet.

Dr. Ernft Müller-Meiningen (1915).

□

... Stellen wir doch gleich einmal alles Gerede, daß das Völkerrecht irgend einen Schutz bedeute, als kindisch beiseite. Völkerrecht gibt es nicht, denn was man fälschlich so nennt, ist nur internationaler Brauch, und ein Volk, das mächtig genug ist, kann jederzeit einen neuen Brauch hinzufügen. Wir Engländer selbst haben uns am meisten von allen Völkern des Bruches internationaler Abkommen schuldig gemacht. Wir haben oft unsere Seemacht ausgenutzt, um andere Völker überraschend anzugreifen.

Major Stuart Murray
(zitiert im Londoner Labour Leader).

□

King Stephen.

Das Marineluftschiff „L 19" ist von einer Aufklärungsfahrt nicht zurückgekehrt. Die angestellten Nachforschungen blieben ergebnislos. Das Luftschiff wurde nach einer Reuter=Meldung am 2. Februar (1916) von dem in Grimsby beheimateten englischen Fischdampfer „King Stephen" in der Nordsee treibend angetroffen, Gondel und Luftschiffkörper teilweise unter Wasser. Die Besatzung befand sich auf dem über Wasser befindlichen Teile des Luftschiffes. Die Bitte um Rettung wurde von dem englischen Fischdampfer abgeschlagen unter dem Vorgeben, daß seine Besatzung schwächer als die des Luftschiffes

153

sei. Der Fischdampfer kehrte vielmehr nach
Grimsby zurück.

Deutsche amtliche Meldung.

□

Die Helden.

Führer und Mannschaften des Fischdampfers „King
Stephen" werden in den englischen Blättern zu Hel=
den erhoben. Die Berichterstatter reißen sich um die
Erzählungen dieser Leute. Ein Maat erzählte: Der
größte Teil des Luftschiffes sei bei der Ankunft des
Dampfers unter Wasser gewesen, nur 16 bis 18 Me=
ter des Vorderschiffes hätten noch herausgeragt, so
daß die Spitze ebenso hoch erschienen sei, wie der Mast
des Dampfers. Die Deutschen hätten in einem fort
gerufen: „Rettet uns! Rettet uns!" Wir hielten es
aber für das zweckmäßigste, davon zu eilen und
dem ersten besten Fahrzeug der Flotte Meldung zu
erstatten. Als wir wegfuhren, riefen einige Deutsche:
„Gott strafe England!" und ballten dabei die
Fäuste gegen uns.

Kölnische Zeitung.

□

Die Mannschaft des „King Stephen" hat sich ihrer
Kollegen vom „Baralong" durchaus würdig benommen.
Nur grausamer war ihr Verfahren. Sie hat
nicht, wie es die Leute vom „Baralong" taten, dem
verhaßten Gegner ein schnelles Ende bereitet, sondern

154

ihn hilflos den Qualen eines langsamen Todes in den
winterkalten Fluten der Nordsee überlassen.

Kreuzzeitung.

◻

Ein Leser der „Daily Mail" schickt dem Blatt einen
Scheck von 15 Pfund mit der Anweisung, das Geld
dem Kapitän des „King Stephen" zuzuwenden, weil
er, als er die Mannschaft des „L 19" in Seenot fand,
so tapfer seine menschlichen Gefühle zu unter=
drücken gewußt hätte. Ein anderer sandte 5 Pfund,
weil der Kapitän die Welt von „22 Mördern" befreit
hätte.

Hamburger Fremdenblatt.

◻

Gewiß! Uns hat der Krieg, nicht nur dieser, son=
dern jeder, den wir führten, immer als furchtbare Ab=
wehr der feindlichen Kriegsmächte gegolten, die gegen
unsere Ehre und gegen unsere Leben Sturm liefen.
Wir haben immer dabei das ehrliche Gefühl eines ehren=
haften und ritterlichen Kampfes Mann gegen Mann
gehabt, und etwas wie Vergeltung gegen den Einzelnen
hat dabei in unsern Seelen nicht Raum gefunden. Aber
auch das reinste Gefühl wird schließlich getrübt, wenn
vergiftete Waffen dagegen erhoben werden. Und so
nehmen wir es mit Genugtuung wie ein Sym=
bol der Vergeltung auf, wenn unter jenen
Schiffen, die vor der englischen Küste ver=
senkt wurden (April 1916), sich auch jener eng=

155

lische Fischdampfer „King Stephen" befindet,
dessen Kapitän sich seinerzeit weigerte, die
auf dem Wrack des „L 19" hilflos treibende
Mannschaft zu bergen.

Der Schatten jener braven Seeleute, die damals
für Deutschland und Deutschlands Zukunft in den Tod
gingen, steigt auf und begrüßt die Rächer, die heute
unversehrt in die heimischen Häfen zurückgekehrt sind.

Hamburger Fremdenblatt.

□

Ein altes Lied . . .

Die Engländer machten sich eben wenig daraus,
ob ein neutrales Schiff einen feindlichen Hafen anlief,
da sie ja das Recht hatten, es überall anzuhalten, indem
sie einfach erklärten, die Ladung gehöre ganz
oder zum Teil einem Handelshause der feind=
lichen Nation. Rußland verlangte als eine Kon=
zession zu seinen Gunsten die Anerkennung des Grund=
satzes, daß Schiffsausrüstungsgegenstände nicht als Kon=
terbande zu gelten hätten. Aber es gibt keine Konter=
bande mehr, wenn alles auf bloßen Verdacht
hin dafür erklärt werden kann, und alles ist
Konterbande, wenn die Flagge nicht mehr die Ware
deckt.

Napoleon I.
Aus „Napoleons Leben. Von Ihm Selbst".
Herausgegeben von Heinrich Conrad.

□

Die neue Strophe.

Es ist interessant, zu beobachten, mit welcher Leichtigkeit England seine Ansichten über wichtige Seerechtsfragen in diesem Kriege ändert. Wenn es ihm paßt, so schwört es auf die Londoner Deklarationen, die es selbst veranlaßt hat. Entsprechen diese nicht mehr seinen Wünschen, so beruft sich England auf die Haager Konvention von 1907, die es nicht unterzeichnet hat. So z. B. im Falle des „Appam". Hier verlangt England die Herausgabe des Schiffes an den Eigentümer unter Berufung auf einen Artikel der Haager Konvention. Der britische Gesandte Spring-Rice erklärt die Sinnesänderung seiner Regierung in bezug auf dieses Abkommen damit, daß dieser Artikel die neuesten Grundsätze des Internationalen Rechts enthalte!

Man braucht sich über diesen juristischen Luftsprung nicht weiter zu wundern, wenn man bedenkt, wie England seit Kriegsbeginn alle internationalen Gesetze und Vereinbarungen dauernd verletzt hat. Man scheint in London zu glauben, daß ein englisches Machtwort genügt, um die Bannwarenliste nach Belieben zu ändern, die Lieferung von Nahrungsmitteln und Bekleidung für die Zivilbevölkerung der kriegführenden Nationen zu unterbinden, den Handel zwischen Neutralen aufzuhalten, die Nationalität von Schiffen ohne Rücksicht auf Flagge und Registrierung nach Gutdünken zu bestimmen, Nicht-

157

kämpfer auf neutralen Schiffen zu verhaften — und
das alles trotz der Londoner Deklarationen.

„Evening Mail", New York, 12. Februar 1916.

□

Wir müssen den ganzen Plunder der Lon=
doner Erklärung, der Haager Abmachung und
ähnlicher juristischer Feinheiten loswerden und
die Interessen Englands und seiner Verbündeten ein=
zig und allein allen andern voranstellen.

Lord Portsmouth im Oberhaus 1915.

□

Ein kleiner Einzelfall ...

Ich habe Kenntnis erhalten, daß gestern am 8. Ok=
tober (1915) zwischen 1 Uhr nachmittags und dem Ein=
bruche der Dunkelheit die englisch=französische Flotte
die bulgarische Küste am Ägäischen Meere, insbesondere
die offenen Städte Dedeagatsch und Porot
Lagos bombardierte und daselbst beträchtlichen
Schaden veranlaßt hat. Dedeagatsch ist während mehr
als vier Stunden dem Feuer von acht großen Einheiten
der verbündeten Flotte ausgesetzt gewesen. Zahlreiche,
Privatleuten gehörige Gebäude sind durch die Geschosse
zerstört oder in Brand gesteckt worden. Es ist nicht nö=
tig, hinzuzufügen, daß das Feuer der verbündeten
Flotte nicht erwidert wurde, da die betroffenen Ort=
schaften infolge ihrer Eigenschaft als offene Plätze kei=
nerlei Widerstandsfähigkeit besitzen.

158

Indem ich Eurer Exzellenz diese offenkundige Verletzung der diesbezüglichen Vorschriften und Gebote des Völkerrechts, sowie des Artikels 1 der Konvention betreffend die Beschießung durch Seestreitkräfte zu Kriegszeiten (Haager Konvention von 1907) im Namen der Königlich bulgarischen Regierung zur Kenntnis bringe, erhebe ich ausdrücklich Einspruch gegen eine so barbarische Handlungsweise, die so wenig dem Rufe von Schützern der Schwachen und Verteidigern des Rechtes angemessen ist, auf dessen Erringung Großbritannien und Frankreich so großen Wert gelegt haben.

Ministerpräsident Radoslawow an die bulgarischen Vertreter im Auslande.

□

Alles Völkerrecht hat die Gültigkeit nur, soweit dahinter die Macht steht!

Londoner „Times". 12. November 1914.

□

Verletzung spanischer Hoheitsrechte.

Nach einer Meldung aus Las Palmas ist der als Hilfskreuzer ausgerüstete Schnelldampfer des Norddeutschen Lloyd, „Kaiser Wilhelm der Große", von dem englischen Kreuzer „Highflyer" zum Sinken gebracht worden, als er in den neutralen Gewässern der spanischen Kolonie Rio de Oro (Westküste Afrikas) vor Anker lag. Gegen diese jedem Völkerrecht widersprechende Verletzung der Neu=

159

◻◻

tralitätsgesetze muß Protest erhoben werden.
Großbritannien hat durch Mißachtung der stets von
allen Nationen theoretisch und praktisch anerkannten
Unverletzlichkeit neutraler Hoheitsgewässer gezeigt, daß
es sich nicht scheut, über die Hoheitsrechte neutraler
Staaten hinwegzusehen.

Amtliche deutsche Meldung.

◻

Die Minen.

Es ist allerdings ungesetzlich, Minen auf
hoher See oder sonst wo außerhalb der Dreimeilen=
zone zu legen, aber kein Seeoffizier wird zögern, das
Verbot zu übertreten. Denn eine Mine, die dahin ge=
legt wurde, wo der Feind sie erwartet, ist eine nutz=
lose Waffe.

Fred Jane.

◻

Dum=Dum.

Die teuflische Erfindung der Dum=Dum = Kugeln
stammt aus England. Sie haben bei Bombay eine
Munitionsfabrik, Dum=Dum genannt. Dort wurden die
ersten Kugeln mit abgefeilter Spitze, gezackten und
eingesägten Mänteln hergestellt.

◻

160

Deutschland muß ausgehungert werden!

□

Die Aufgabe der englischen Flotte.

Langsam aber sicher, ohne Schaugepränge und Ruhm=
redigkeit, gleich einer unsichtbaren Hand, die einen
Menschen im Dunkeln erwürgt, hat sie ihre Hand
an die Kehle Deutschlands gelegt, und sie wird erst los=
lassen, wenn ihr Widersacher tot ist. Das Opfer mag
kämpfen, mit Händen und Füßen zappeln, sich in seinem
Todeskampfe und in der Anstrengung, alles Umgebende
zu zerbrechen, winden — aber die Umklammerung wird
ungeachtet dieser Heftigkeit allmählich enger werden,
und der Druck wird sich verstärken, und alles das hängt
von einer kleinen Zusammenziehung von Schiffen und
Leuten, irgendwo auf den britischen Inseln ab.

Der englische Minister Masterman
in einer Schrift.

□

Der Seetyrann im Weltkrieg.

Getreu seiner jämmerlichen geschichtlichen
Überlieferung verfolgt Großbritannien das
Ziel der wirtschaftlichen Aushungerung nicht
allein Deutschlands, sondern auch der neutra=
len Staaten. Durch diese Art der Kriegführung ge=
gen die Neutralen hofft der Londoner Markt manche
Erzeugnisse, die er im ehrlichen Wettbewerbe an die

besser arbeitenden Industrien einzelner Länder ver=
loren hatte, gewaltsam wieder an sich zu reißen. Wenn
dem beutelustigen Engländer dieses trotz der Schwäche
der neutralen Mächte im letzten Ende nicht gelingen
wird, so wird er dies nur der Tüchtigkeit und techni=
schen Überlegenheit der deutschen Marine, welche na=
mentlich durch ihren hervorragend organisierten Unter=
seebootskrieg der englischen Marine und Handelsschiff=
fahrt noch weiter die schwersten Schädigungen zufügen
dürfte, zu danken haben. — Sicherlich wird sich aber
eines Tages das Wort des Franzosen Barrère, welches
dieser am 1. August 1793 in Empörung über Englands
Vergewaltigung auf dem Meere ausrief, erfüllen:
„Eines Tages werden die europäischen Völker über
die Handelstyrannei, den politischen Despotismus und
die äußerste Verderbtheit der englischen Regierung sich
im Interesse der allgemeinen Freiheit vereinigen und
gegenüber der insularen Bedrückung und Seetyrannei
Catos Wort verwirklichen und das moderne Carthago
zerstören."

Max Seidel in der „Hilfe".

□

Die Schuld der britischen Regierung.

Die Deutsche Regierung mißt den hohen Geboten
der Menschlichkeit keine geringere Bedeutung bei als
die Regierung der Vereinigten Staaten. Sie trägt
auch voll Rechnung der langen gemeinschaftlichen Ar=
beit der beiden Regierungen an einer von diesen Ge=

162

boten geleiteten Ausgestaltung des Völkerrechts, deren
Ziel stets die Beschränkung des Land= und Seekriegs
auf die bewaffnete Macht der Kriegführenden und die
tunlichste Sicherung der Nichtkämpfenden gegen die
Grausamkeiten des Krieges gewesen ist.

Für sich allein würden jedoch diese Gesichtspunkte,
so bedeutsam sie sind, für die Deutsche Regierung bei
dem gegenwärtigen Stand der Dinge nicht den Aus=
schlag geben können. Denn gegenüber dem Appell
der Regierung der Vereinigten Staaten an die gehei=
ligten Grundsätze der Menschlichkeit und des Völker=
rechts muß die Deutsche Regierung erneut und
mit allem Nachdruck feststellen, daß es nicht
die deutsche, sondern die britische Regierung
gewesen ist, die diesen furchtbaren Krieg un=
ter Mißachtung aller zwischen den Völkern
vereinbarten Rechtsnormen auf Leben und
Eigentum der Nichtkämpfer ausgedehnt hat,
und zwar ohne jede Rücksicht auf die durch
diese Art der Kriegführung schwer geschädig=
ten Interessen und Rechte der Neutralen und
Nichtkämpfenden.

In der bittersten Notwehr gegen die rechts=
widrige Kriegführung Englands, im Kampf
um das Dasein des deutschen Volkes, hat
die deutsche Kriegführung zu dem harten,
aber wirksamen Mittel des Unterseebootkrie=
ges greifen müssen. Bei dieser Sachlage
kann die Deutsche Regierung nur erneut ihr

163

Bedauern darüber aussprechen, daß die hu=
manitären Gefühle der amerikanischen Regie=
rung, die sich mit so großer Wärme den be=
dauernswerten Opfern des Unterseebootkrie=
ges zuwenden, sich nicht mit der gleichen
Wärme auch auf die vielen Millionen von
Frauen und Kindern erstrecken, die nach der
erklärten Absicht der englischen Regierung in
den Hunger getrieben werden und durch ihre
Hungerqualen die siegreichen Armeen der
Zentralmächte zu schimpflicher Kapitulation
zwingen sollen.

Die Deutsche Regierung und mit ihr das
deutsche Volk hat für dieses ungleiche Emp=
finden um so weniger Verständnis, als sie
zu wiederholten Malen sich ausdrücklich be=
reit erklärt hat, sich mit der Anwendung der
Unterseebootwaffe streng an die vor dem
Krieg anerkannten völkerrechtlichen Normen
zu halten, falls England sich dazu bereit fin=
det, diese Normen gleichfalls seiner Krieg=
führung zu Grunde zu legen. Die verschie=
denen Versuche der Regierung der Vereinig=
ten Staaten, die Großbritannische Regierung
hierzu zu bestimmen, sind an der strikten Ab=
lehnung der britischen Regierung gescheitert.
England hat auch weiterhin Völkerrechts=
bruch auf Völkerrechtsbruch gehäuft und in
der Vergewaltigung der Neutralen jede Grenze

164

überschritten. Seine letzte Maßnahme, die
Erklärung deutscher Bunkerkohle als Bann=
ware, verbunden mit den Bedingungen, zu
denen allein englische Bunkerkohle an die
Neutralen abgegeben wird, bedeutet nichts
anderes, als den Versuch, die Tonnage der
Neutralen durch unerhörte Erpressung un=
mittelbar in den Dienst des englischen Wirt=
schaftskrieges zu zwingen.

Aus der deutschen Note an Amerika.
vom 4. Mai 1916.

□

Wenn es Wilsons Absicht ist, die U=Bootswaffe,
die von Deutschland als Verteidigungswaffe gegen
Englands Pläne, Deutschland auszuhungern, be=
trachtet wird, Deutschland aus den Händen zu winden,
dann kann diese Absicht nicht anders als mit einem be=
stimmten Nein aufgenommen werden. Wilson hat
damit seine neutrale Stellung aufgegeben und sich im
Kampf offen auf Englands Seite gestellt. Den hundert
Amerikanern, die leider ihr Leben verloren haben, als
sie sich in die Kriegszone wagten und deren Tod Wilson
beklagt, stehen Millionen Deutsche gegenüber, die in
den Schützengräben verbluten und zu Hause dem
Hungertode ausgeliefert sein sollen.

„Stockholmer Dagblad", 1916.

□

165

Der Pharisäer ...

Die Aushungerung, die England den deutschen Frauen und Kindern zugedacht und offen eingestanden hat, wird sogar von der britischen Regierung als eine religiöse Handlung betrachtet. Wenn ein britisches Baby seinen Tod infolge des natürlichen Laufs dieses Weltkrieges findet, dann geht ein Schauder über alle. Wenn aber eine Million und noch mehr deutsche Kinder im zarten Alter ganz freundschaftlich und liebenswürdig und patriotisch, mit einem Wort ganz englisch mit dem Hungertod bedroht werden, nimmt man an, daß die Welt das ruhig hinnimmt.

Hermann Ridder,
in der „New-Yorker Staatszeitung", 1916.

◻

Eine vollständge Erdrosselung ...

Welche Schlüsse sind aus diesem Triumph der britischen Seemacht zu ziehen? Wieder ist die Nordsee der hauptsächlichste Kriegsschauplatz geworden. Die Marine war es, die Deutschland fast alle Kolonien genommen hat, sie hat den überseeischen Handel Deutschlands erdrosselt; es gibt keine deutschen Schiffe mehr auf hoher See. Bei den Verbündeten liegt es, zu entscheiden, wann die deutschen Schiffe wieder die See befahren dürfen, und es ist keineswegs sicher, daß dies sofort nach Frie-

166

densschluß der Fall sein wird. Wenn die deutsche Handelsmarine von dem Anlaufen englischer, franzö= sischer und russischer Häfen — abgesehen von den ja= panischen — ausgeschlossen wird, kann ihr Betrieb sich nicht lohnen. So lange der Krieg dauert, kann Deutsch= land den eisernen Griff nicht lockern, und nach dem Kriege kann diese Umstrickung in anderer Form fort= gesetzt werden, bis Deutschland voll und ganz gesühnt hat. Der Preis wird ein hoher sein, aber er muß ge= zahlt werden. Auch Österreich dürfte nicht frei ausge= hen, die Gesetze der Menschlichkeit müssen verteidigt werden. Die verbündeten Nationen sind imstande, durch gemeinsames Vorgehen die deutschen Handels= schiffe aus ihren Häfen auszuschließen. Ihr Recht hier= zu kann nicht in Frage gestellt werden; die Macht, die= sen Vorsatz auszuführen, liegt in den fünf großen Flot= ten. Die Rechtfertigung für einen solchen Ausschluß selbst nach dem Friedensschluß liegt in der blutigen Geschichte der deutschen Kriegführung. Die Ver= bündeten müssen sich Cromwellsche Kriegfüh= rung zum Muster nehmen.

Archibald Hurd,
Marinemitarbeiter des „Daily Telegraph". 1. Januar 1916.

◻

Ein Plan zur Vernichtung der deutschen Industrie.

Es gibt nun auch einen Weg, auf dem das Ziel den bisher von Deutschland betriebenen Welt= handel an England zu bringen erreicht werden

167

kann. Er ist erbarmungslos, aber sehr einfach. Es ist die überlegte und organisierte Zerstörung der Fabriken und Ausrüstungen der deutschen In= dustrie. Bei diesem organisierten Zerstö= rungswerk dürfen auch die großen Eisen= und Stahlwerke Deutschlands nicht vergessen wer= den. Hand in Hand mit der Besetzung deutschen Ge= biets durch die verbündeten Truppen muß die Zerstö= rung aller großen Industrien in diesem Gebiet gehen. Es ist anzunehmen, daß das Kapital sehr zu Gun= sten unserer heimischen Industrien stimuliert wird, wenn die feste Absicht eines solchen Zerstörungs= werkes hier und in Frankreich einmal bekannt ist.

„The Engineer" vom 25. 9. 1914.

(Die angesehenste englische Ingenieur=Zeitschrift.)

□

Deutsches Wetter.

Sein verrunzeltes Gesicht
glättet jetzt der Bauer:
Tags das warme Sonnenlicht,
nachts Gewitterschauer!

Unser Herrgott sah dem Mai
auf die Fingernägel,
daß er naß und trocken sei
nach der Bauernregel.

Ist die ganze Welt verhext,
sich und uns zu töten,
keimt auf deutscher Flur und wächst,
was uns nur vonnöten.

Wir, verdammt zum Hungertod,
fühlen keine Reue.
Eh' verzehrt das alte Brot,
reift uns schon das neue.

Wer gewinnt im Spiel dies Jahr
all' die blut'gen Pfänder?
Unser Herrgott — das ist klar —
ist kein Engeländer.

Edgar Steiger (1915).

□

169

Der Fall „Baralong".

Es war eine ereignislose Überfahrt bis zum 19. August (1915), als wir um 2.30 nachmittags ein deutsches U=Boot sichteten, wie es ungefähr drei Meilen voraus auf der Oberfläche des Meeres erschien. Es feuerte einen Warnungsschuß, was für uns bedeutete, mit möglichster Eile in die Boote zu gehen. Wir waren zu dieser Zeit 70 Meilen von Queenstown entfernt. Wir funkten das S.O.S.=Signal (**Save our Souls**), sowie, daß uns das U=Boot befohlen hatte, das Schiff zu verlassen. Gerade vor Fertigmachen eines Rettungsbootes riß ein Schuß unseren Apparat für drahtlose Telegraphie fort. In diesem Augenblick sah ich, wie ungefähr 4 Meilen voraus sich uns ein Dampfer näherte, gerade auf uns zuhaltend. Ich glaubte, wir würden alle gerettet werden. Das Boot, in dem ich war, hatte den Kapitän an Bord. Wir verließen die „Nicosian" als Letzte. Wir mochten ungefähr 200 Fuß von unserem Dampfer entfernt sein, da eröffnete das U=Boot das Feuer mit Granaten auf das Schiff. Von 19 Schüssen trafen 12 über und 2 unter der Wasserlinie. Zu dieser Zeit war der Dampfer, den ich schnell herankommen sah, angelangt.

Das Schiff, das die amerikanische Flagge führte und das sich nachher als H. M. S. „Baralong" erwies, unter Führung des Kapitän William Mc. Bride, kam hinter der „Nicosian" auf und hielt sich querab von ihr.

Um diese Zeit fielen die Bretter unter=
halb der Kommandobrücke, die amerikanische
Flagge am Mast wurde niedergeholt und die
englische statt ihrer gesetzt.

Sofort wurde mit Handwaffen auf das Untersee=
boot Feuer eröffnet, und der Geschützführer an Bord des
Unterseebootes warf die Arme hoch und fiel rückwärts
ins Wasser. Die deutschen Seeleute an Bord des Unter=
seebootes drängten nun alle nach dem Kommando=
turm hin; und etlichen von ihnen gelang es, hinunter
zu kommen. Um diese Zeit eröffnete eines der schweren
Geschütze der „Baralong" das Feuer. Der erste Schuß
schien zu kurz zu gehen, muß aber ein Prellschuß gewesen
sein, da man bemerken konnte, daß sich das Untersee=
boot leicht nach Backbord überlegte. Die Deutschen,
die unten waren, begannen wieder an Deck zu steigen.
Ein zweiter Schuß der „Baralong" riß dem deutschen
Unterseeboot das Sehrohr und die Flagge weg. Dies=
mal verursachte er schwere Schlagseite nach Backbord.
Der dritte Schuß des „Baralong" traf den Boden des
Kommandoturms, riß ihn hinweg und mehrere Deutsche
mit ihm. Der Rest der Deutschen, die oben waren,
stürzte nach dem Heck des Unterseebootes, das unge=
fähr 90 Meter lang war, und begann, die Kleider ab=
zulegen. Das Unterseeboot sank jetzt langsam
und die Leute standen bis zu den Hüften im Wasser.

Elf von den deutschen Seeleuten, darunter der
Kommandant, sprangen ins Wasser und schwammen
zur „Nicosian". Fünf gelang es, das Seefallreep zu

171

171

erreichen und an Bord zu klettern. Die anderen sechs schwammen herum nach den Manntauen, die für die Rettungsboote benutzt herunterhingen, und ergriffen die Enden. Das konnte man ganz deutlich sehen. Inzwischen gingen alle unsere Boote längsseits der „Baralong", und wir stiegen über das Fallreep an Deck. Der Kommandant der „Baralong" ging händeschüttelnd herum und erschien hocherfreut über das Ergebnis der Begegnung, da er nach seiner Behauptung zwei Monate lang herumgekreuzt war, um dieses Unterseeboot zu suchen. Er befahl nun seinen Leuten, sich in einer Reihe an der Reeling aufzustellen.

Sie begannen das Feuer und alle sechs Leute wurden kalten Blutes erschossen.

Es fiel die Bemerkung, daß fünf Leute gesehen worden waren, wie sie an Bord der „Nicosian" kletterten, und der Kommandant der „Baralong" ließ sein Schiff längsseits der „Nicosian" gehen. Als es sie erreicht hatte, wurde es festgemacht, und die englischen Matrosen, begleitet von einigen Schiffoffizieren der „Nicosian", suchten die fünf Deutschen. Kapitän Mc. Bride befahl, als er die Seesoldaten unter Führung eines Unteroffiziers abschickte:

„Kriegt sie alle, macht keine Gefangenen!"

Der Schiffszimmermann war einer der ersten an Bord der „Nicosian" und voraus, die englischen Seesoldaten zu führen, während der erste Maschinist folgte. Einige von den Seesoldaten stürmten nach der Maschinenraumluke, während der Schiffszimmermann und der

Rest den Niedergang nach den Heizräumen hinabging. Der Zimmermann und die Seesoldaten, die den Niedergang zum Heizraum hinuntergegangen waren, kamen unten auseinander, bevor sie einen der Deutschen getroffen hatten. Der Zimmermann war der erste, der die Deutschen anfiel. Er zielte mit dem Revolver auf einen von ihnen, befahl ihm, die Hände hoch zu heben und zu ihm heranzukommen. Als der deutsche Matrose herankam, erschoß ihn der Zimmermann kalten Blutes. Er meldete dies dem Kapitän Manning mit dem Rufe: „Einen von ihnen habe ich!" und beschrieb das Schießen; später erzählte er jedem an Bord die Geschichte. Der erste Maschinist rühmte sich, einen der drei übrigen erschossen zu haben, und die Seesoldaten taten den Rest ab.

Um sicher zu gehen, daß sie ihre Tat ordentlich vollbracht hatten, schossen die Seesoldaten jedem toten Deutschen noch einen Schuß durch den Kopf.

Die letzten drei Leute, darunter der Kommandant des Unterseebootes, wurden folgendermaßen getötet: Zwei der Leute hatten den Gang zum Maschinenraum erreicht, während der Maschinist ihnen auf den Fersen folgte. Sie liefen in einen der Bunker, und der Maschinist schloß die Tür hinter ihnen und rief die Soldaten mit den Worten herbei: „Kommt, Jungens, ich habe zwei von ihnen hier drin!" Der Maschinist öffnete die Tür und schoß selbst; der andere Mann wurde durch die Seesoldaten getötet.

173

□□□

Der deutsche Kommandant

lief nun nach der Reeling und sprang über Bord. Einer
rief: „Da ist einer von ihnen." Die Seesoldaten und
Kapitän Manning gingen auf die Back des Schiffes.
Der deutsche Kommandant schwamm auf die „Bara=
long" zu. Die Seesoldaten eröffneten das Feuer von
der Back der „Nicosian" aus. Der Kommandant
sah herauf zur „Baralong" und hob die Hand
zum Zeichen der Übergabe. Er wurde in den
Mund getroffen, und das Blut rann ihm das Kinn her=
unter. Er biß die Zähne zusammen und wartete auf
das Ende. Ein Schuß der nächsten Salve traf ihn
ins Genick. Er rollte tot auf den Rücken, trieb
eine Weile und versank.

Nachdem der Kommandant erschossen war, kehrten
die Matrosen auf ihr eigenes Schiff zurück und es herrschte
großer Jubel unter ihnen. Der Steward unseres Schif=
fes öffnete eine Flasche Whisky und bot sie dem Ge=
schützführer und seinen Freunden dar. Man reichte
einigen aus der Mannschaft der „Nicosian" Tee. Dann
kehrten etliche Leute, gerade genug, um das Schiff
zu bemannen, darunter das Maschinenpersonal, die
Offiziere, die Vorleute und ungefähr dreizehn Maul=
tiertreiber, um auf die Tiere aufzupassen, auf die „Nico=
sian" zurück. Der Kommandant der „Baralong" schickte
einen Brief an Kapitän Manning, den der Kapitän
unserm Tierarzt zeigte, der ihn wiederum uns zu lesen
gab.

Der Brief ersuchte den Kapitän, den Leu=

174

━━━━━━━━━━━━━━━━━━━━━━━━━━━━━━━━━━━━━

ten, besonders den Amerikanern an Bord,
einzuschärfen, sie sollten nichts von der Ge=
schichte, weder bei ihrer Ankunft in Liver=
pool, noch bei ihrer Rückkehr nach Amerika
erzählen.

Der Brief war unterzeichnet: Kapitän William
Mc. Bride, H. M. S. Baralong.

*   *   *

Die Einzelheiten dieses Berichtes sind so unge=
heuerlich, daß ich mich keines einzigen Vorfalles seit
Kriegsbeginn erinnern kann, der mein menschliches Ge=
fühl stärker erregt und beleidigt hat und meinen ame=
rikanischen Stolz. Die entsetzensvolle Art, in der
die Engländer die deutschen Seeleute er=
mordeten, nachdem ihr Schiff zerstört war, hat meine
schlimmsten Befürchtungen betreffend das Aufführen
der Engländer in der Seeschlacht bei den Falklands=
inseln bestätigt. Das dürfte allerdings eine Regierung
sein, die nichts anderes verdiente, als Verdammung,
wenn sie ein so gemeines Verhalten, wie das des eng=
lischen Patrouillenbootes, duldet. Als Amerikaner feh=
len mir die Worte, die stark genug sind, um meine Ge=
fühle über den Mißbrauch der Flagge meines Landes
auszusprechen.

Hermann Ridder in der New-Yorker Staatszeitung.

□

Aus der „Baralong-Note" der englischen Regierung.

Es ist nun einleuchtend, daß es der Gipfel der Un-
gereimtheit sein würde, den Fall der „Baralong" für
eine Einzeluntersuchung auszusondern. Gesetzt den Fall,
daß die Aussagen, auf die sich die Deutsche Regierung
stützt, richtig wären (und Seiner Majestät Regierung
hält sie nicht für richtig), so würde die Anschuldigung
gegen den Kommandanten und die Mannschaft der
„Baralong" doch unbedeutend sein im Vergleich
zu den Verbrechen, die von deutschen Offizieren zu
Lande und zu Wasser gegen Kämpfer und Nichtkämpfer vorsätzlich begangen zu sein scheinen.

□

Die Art, wie die Britische Regierung die deutsche
Denkschrift beantwortet hat, entspricht nach Form und
Inhalt nicht dem Ernst der Sachlage und macht es der
Deutschen Regierung unmöglich, weiter mit ihr in dieser Angelegenheit zu verhandeln. Die Deutsche Regierung stellt daher als Endergebnis der Verhandlungen
fest, daß die Britische Regierung das berechtigte Verlangen auf Untersuchung des „Baralong"-Falles unter
nichtigen Vorwänden unerfüllt gelassen und sich damit für das dem Völkerrecht wie der Menschlichkeit
hohnsprechende Verbrechen selbst verantwortlich gemacht
hat. Offenbar will sie den deutschen Unterseebooten
gegenüber eine der ersten Regeln des Kriegsrechts,
nämlich außer Gefecht gesetzte Feinde zu schonen, nicht

176

mehr innehalten, um sie so an der Führung des völker=
rechtlich anerkannten Kreuzerkrieges zu verhindern.

Amtliche deutsche Kundgebung.

□

Die Hauptfrage verliert dadurch nichts an ihrem
fürchterlichen Ernste: Haben britische Flottenmann=
schaften auf Befehl ihres Kapitäns deutsche U=Boots=
leute ermordet, nachdem sie sich ergeben hatten? Die
englische Regierung ist nicht in der Lage, diese Frage zu
verneinen. Sie weigert sich aber, die Mörder
zur Verantwortung zu ziehen. Nun hat Deutsch=
land das Wort. Es steht auf höherer zivilisatorischer
Stufe, um Gleiches zu tun, und sich nun auch am Le=
ben von englischen Gefangenen vergreifen zu wollen.
Scharfe Repressalien können aber nicht ausbleiben,
schon um die Wiederkehr solcher Verbrechen nach Mög=
lichkeit zu verhindern. Auch in neutralen Staaten wird
man sich nicht verhehlen, daß die englische Regierung
mit ihrem Baralong=Weißbuch den Schild Englands
mit einem unaustilgbaren Makel befleckt hat.
Hätte sie das scheußliche Verbrechen ihrer Leute mit
der blinden Wut derselben über die deutschen Unter=
seeboote einigermaßen zu entschuldigen versucht, man
hätte es verstanden. Daß sie aber mit sophistischen
Ausflüchten über dasselbe hinweggleitet, dafür feh=
len zur richtigen Kennzeichnung der Sprache die Worte;
es ist schändlicher als die Tat selber. Welcher Verwil=
derung der Gesinnung in Kreisen, die Vorbild und

Träger einer guten und menschlichen Kultur sein woll=
ten, gehen wir noch entgegen?

Neue Zürcher Nachrichten.

□

Baralong.

Als es dem Kapitän des Königs von England,
William Mc. Bride — sein Name sei in alle Ewigkeit
berühmt — unter dem Schutze der amerikanischen Flagge
geglückt war, das deutsche U=Boot kaput zu schießen,
bemerkte der stolze und mutige Offizier im Augenblick
seines höchsten Triumphes eine entsetzliche Gefahr.
Sechs deutsche Matrosen und ein Offizier tauchten im
Wasser auf und schwammen auf den Kreuzer zu.

„Mein Gott", sagte der Kapitän des Königs von
England, „wenn sie an Bord kämen ... wir haben zwar
Waffen und schwere Geschütze ... aber wir sind nur
ein paar hundert Mann und unser Schiff ist bloß ein
Hilfskreuzer. Andrerseits kommt mir eine dunkle Er=
innerung, daß ich als Offizier und Gent — —"

Die Matrosen schwammen näher.

Der Kapitän des Königs von England empfand:
Es ist hohe Zeit! und er kommandierte: „Jungens,
schießt einstweilen auf sie, bis ich mit mir im Reinen
bin, was zu geschehen hat."

Da schossen die tapfern Matrosen des Königs von
England unter Halloh auf die deutschen Matrosen. Sie
schossen langsam und mit Genuß.

178

Die deutschen Matrosen kämpften mit den Wellen und versanken — einer nach dem andern. Nur ihr Offizier war noch zu sehen; er hob die Hand zur Baralong empor.

Da schrieen die Matrosen des Königs von England: „Was soll mit dem Offizier geschehn — er ist ja schon ganz nahe!"

„Ganz nahe," rief der Kapitän erbleichend — „so schießt! nein — schießt noch nicht!"

„Er hebt den Arm hoch," schrieen die Matrosen.

„Schießt!" donnerte der Kapitän.

Da schossen die tapfern Matrosen des Königs von England den deutschen Offizier in den Mund. Er biß die Zähne zusammen und versank.

Als es geschehen war, sagte der Kapitän Mc. Bride — sein Name sei in alle Ewigkeit berühmt —: „Ich rufe euch zu Zeugen an: er hat den Arm erhoben — also hat er uns bedroht. Wir haben in gerechter Notwehr gehandelt."

„Amen," sagte der Schiffsgeistliche, „und nun lasset uns für ihre Seelen beten — denn auch sie haben für ihr Vaterland gekämpft!"

Peter Scher in seinem Buche:
„Das Friedenssanatorium."

□

Vom ritterlichen Kampf.

Wenn deutsche Truppen England überfallen, wird das ganze Volk mitkämpfen und

179

sich um die ‚Kriegsregeln‘ nicht kümmern. Die sind ja nur von den Deutschen ersonnen worden, um britische Sachverständige zu ärgern. Viele Män= ner, viele Frauen werden auf die Straße gehen und auf die Deutschen schießen. Wenn unsere Herren Sachverständigen pedantisch dreinreden, werden wir sie niederknallen; und wenn die Eindring= linge, die, durch das Meer von ihrer Basis getrennt und in ungünstiger Stellung, wahrscheinlich schlecht aus= gestattet sein werden, unklug genug sind, uns durch Drohung nach Belgischem Muster schrecken zu wollen, wird unsere Freischar jeden Deutschen, den ihr Arm erlangen kann, niedermetzeln.

Dieses Verfahren ist blutig, wird in solcher Lage aber vom Menschenverstand befohlen. Wir werden die Offiziere henken und die Mannschaft erschießen. Sachverständige, die wähnen, deutsche Einbrecher wür= den, etwa in der Grafschaft Eßer, nur reguläre Truppen abzuwehren haben, irren in wunderlicher Weise. Ein deutsches Eindringen werden wir Engländer nicht be= kämpfen, sondern lynchen.

H. G. Wells in der Londoner „Times“ (1915).

□

Die Zeppelinbombe.

Sir John Falstaff Plumpudding
an feinen Freund François Grandebouche.

Mein liebes Freund!

I am perplex! Ich bin fahrend aus meine Haut,
ich möchte rennen wuider die Wand mit irgend eine
verbündete Kopf, ich könnte springen in das Luft, —
wuenn es nicht wuäre zu gefahrfull da oben!! Oh,
Grandebouche, denke Dich: das German hat mich ver=
bombt!! Statt sich zu unterwuerfen, er is herunter=
wuerfend, — er ist einkreisend meine Luft! Solange
dieses Zeppelin nur fliegte über Wuarschau, Antwuerpen
oder Nancy, ich findete ihn very amusing, aber auch
zu schiffen über England — oh, es is eine Gemeinig=
keit! Oh, mir bleiben vor Wut die Meineide im Hals
stecken. — Wuomit ich habe verdient das? Wuar ich
nicht immer so brav: wuenn man gehauen hat auf das
linke Backen von Belgien, ich habe hingehalten auch
das rechte Wuange von Frankreich. — Niemand kann
mich nachsagen, daß ich mich zu sehr auf das Schlacht=
feld beteiligt habe! Wuir sein eine friedliche Sport=
nation: unsere Turners machen den besten Hochstand,
and unsere Politiker den schönsten Tiefstand. Und nun
man verbombt mich!!

Es verstoßt gegen das Völkerrecht von die Singa=
lesen und Gurkhas! Wuir führen zwar mit Deutsch=
land Krieg, aber wuieso Deutschland auch mit uns?

Mister Grey hat gewuollt eine Schuftkrieg, aber keine Luftkrieg!! Ich anrufe das ganze Wuelt zu Zeugen; Germany schmeißt Bombes aus die Luft, obwuohl das sein eine unbefestigte Element! Das Schreck is mich gefahrt in alle Glieder — jede Nacht ich verstecke mich wuie meine Flotte — ich krieche in eine Schrank — my home is my Nachtkastle!!.

Natürlich ich sein ganz ruhig! In die verbombte Städte man nur lachte über die Bombes, man so lustig wuar, daß man singte: „Panikuli, Panikula!" Wuir wuerden die Germans schon schlagen, nur wuir müssen haben Zeit:

Immer langsam voran, immer langsam voran,
Daß der Greywinkler Landsturm nachkommen kann!

Unsere englische Dampfer „Durwarb" wuir schon haben in Sicherheit gebringt vor die Zeppelins, indem wuir ihn haben versenken gelaßt von ein deutsche Unterseeboot.

Liebes Grandebouche, sei unbesorgt um mich, ich habe so dicke Nerven wuie ein Galgenstrick! Nur eines ich muß Dich empört fragen: Wueshalb die französische Flotte nicht beschutzt besser die englische Küste? Wuozu habt Ihr sonst eine französische Flotte?

Three cheers for die „Times", sie sein eine Perle, der wuahre Schmockgegenstand!

Ich bewueine mich Dein
Sir John Falstaff Plumpudding.

Karl Ettlinger („Karlchen").
Aus „Grandebouche und Laujikoff".

◻

182

Daher hat die erste Luftmacht sich der dritten Luft=
macht unterzuordnen.

Das Parlamentsmitglied Pemberton Billing (ein
bekannter Flieger) erklärte in seiner Rede unter tosen=
dem Beifall, das Ziel Englands müsse sein, für Eng=
land dieselbe Oberherrschaft in der Luft zu schaffen,
wie die Väter sie auf der See erworben haben. Wenn
der Friedensvertrag nicht solche Bedingungen
enthalte, daß England die Kontrolle über
den deutschen Luftdienst in der Hand habe,
dann sei England in 10 Jahren eine der Ver=
dammnis ausgelieferte Nation. Diejenige Na=
tion, welche die Oberherrschaft in der Luft besitze, werde
in Zukunft der Welt diktieren. (Großer Beifall.) Ge=
genwärtig sei England nur eine Luftmacht 3. Klasse.
Deutschland sei die erste und zwar insofern auch die
erste Luftmacht, daß es nicht nur imstande sei, an
der Front zu schaden, sondern auch noch genügend Macht
habe, den Luftkrieg in die verschiedenen feindlichen
Länder hineinzutragen. Es sei vielleicht nicht möglich,
diese Zeppelinangriffe ganz zu verhindern, aber wenn
England sich eine große Luftflotte schaffe, könne es die
Zeppeline in ihren Hallen und Herstellungswerken ver=
nichten. Der Aeroplan sei die größte Waffe, die jemals
in Menschenhand gelegt worden sei. Wenn England
nicht schleunigst einen großen Luftdienst habe, dann
würde es noch Zeppelinbesuche erhalten mit Ergeb=
nissen, die jedem Verblüffung und Staunen bereiten
werden. Londoner Bericht des Schwäbischen Merkur, Stuttgart.

□

183

England und die Neutralen im Weltkrieg.

□

Der privilegierte Seeraub.

England ist heute der unverschämte Vertreter der Barbarei im Völkerrechte. Sein ist die Schuld, wenn der Seekrieg zur Schande der Menschheit, noch immer den Charakter des privilegierten Raubes trägt; sein Widerspruch vereitelte auf den Brüsseler Konferenzen den Versuch Deutschlands und Rußlands, den Verheerungen der Landkriege einige Schranken zu setzen.

Heinrich von Treitschke.

□

Die Vergewaltigung der Neutralen.

Um die Zeit, als England seine militärischen Hoffnungen auf sofortigen Sieg durch Übermacht aufgab, und sich auf die „Aushungerung" Deutschlands legte; also etwa im Herbst 1914 oder Frühwinter 1915, begann es bereits, der niederländischen Ausfuhr zur See so viele Schwierigkeiten zu machen und gleichzeitig Holland, in dem eine Getreideaufnahme einen auffällig niedrigen Bestand ergeben hatte, so sehr mit Abschneidung der Zufuhr zu ängstigen, daß die gewerbetreibenden Kreise sich in der Ein= und Ausfuhr lieber einer vorherigen englischen Kontrolle unterwerfen woll=

184

ten, als eine nachherige Störung zu riskieren. Um diese
Kontrolle durchzuführen, ersann England den „Einfuhr=
trust". Unter dem Namen „Nederlandsche Overzee Trust
Maatschapie" wurde eine englandsichere Gesellschaft ge=
gründet, die die einzige Adresse für alle Einfuhrsendungen
bilden sollte. Diese Gesellschaft haftete England dafür,
daß Waren nur an solche Firmen abgegeben wurden,
die keine Handelsbeziehungen zu Deutschland unter=
halten, und sicherte dies durch ein System von Agen=
ten und Detektivs („Handelsspionen"), die zu Tausen=
den über das Land verbreitet wurden. Die Gesellschaft
wurde nach den drei ersten Anfangsbuchstaben die „NOT"
genannt, und humoristische Anspielungen auf „Holland
in Not" ebenso wie sehr ernste Stoßseufzer brachten
zum Ausdruck, daß man sich des demütigenden Zu=
standes einer englischen Kontrolle auf niederländischem
Boden sehr wohl bewußt war. Mit ähnlichen Mitteln
brachte Frankreich die Schweiz dazu, sich die Société
Suisse de Surveillance (SSS) gefallen zu lassen. In
Dänemark wurde die Textilindustrie durch Beschlag=
nahme der Baumwolle fast bis zum Stillstand gebracht,
und es war wie ein Hohn, wenn England sich bereit
erklärte, die beschlagnahmte Baumwolle zu bezahlen,
da damit den Fabriken der fehlende Rohstoff natürlich
nicht beschafft wurde. Als England anfing, auch seine
Kohle zurückzuhalten, entsandten schließlich die angesehen=
sten gewerblichen Vereinigungen Kopenhagens, der In=
dustrierat und die Kaufmannsgilde Vertreter nach London
und erreichten durch ihr Bitten, daß England in der

185

Tat sich herbeiließ, diese beiden Körperschaften zusammen als einen Einfuhrtrust anzuerkennen, der dem Königreich Dänemark auferlegt werden sollte. Ja, England erklärte sich sogar bereit, die schwarze Liste abschriftlich mitzuteilen. Jetzt verlangte England von den norwegischen Gewerbetreibenden glatt die Unterwerfung unter eine entsprechende Organisation und ängstigte die Fischkonservenfirmen von Stavanger, die Papierfabriken u. a. m. so lange mit Zurückhaltung der Kohle, mit Beschlagnahme von Ölen und Blechen usw., bis auch hier der Revers durchging, mit dem jede einzelne Firma, wenn sie Gnade finden wollte, sich verpflichten mußte, keine Waren nach Deutschland zu liefern. Nur vier Stavanger Firmen blieben standhaft dabei, eine solche Unterschrift mit ihrer Auffassung von Neutralität nicht vereinbaren zu können. In Schweden gründete man für ähnliche Zwecke die „Transito"-Gesellschaft für die Durchfuhr von England nach Rußland, deren Existenz zuerst abgeleugnet, dann aber erwiesen wurde und gegenwärtig einer schwedischen Abwehrgesetzgebung unterworfen wird, deren Einzelheiten noch nicht bekannt sind. Überall wurden den Zwangsgesellschaften im neutralen Lande entsprechend Amtsstellen in London begründet.

Professor Dr. Jastrow-Berlin,
in der „Frankfurter Zeitung".

□

Die Gemütsmenschen.

Die Londoner „Daily Mail" stellt mit Genugtuung fest, daß die Überschwemmung in Holland und die zahlreichen Verluste an Rindvieh und Schafen ein besseres Mittel für die Beschränkung der Lebensmittelausfuhr nach Deutschland seien als alle Maßregeln der Regierung und die Wachsamkeit der Grenzwächter. Vorderhand werde die Versorgung Deutschlands aus Holland aufhören.

□

Hollands Gefühle gegen England.

Englands Erbfeindschaft liegt über jeder Seite im Buch unserer Geschichte wie ein schwarzer Schatten. Zu unserm Schaden hat es 1815 Belgien und Holland vereinigt, zu unserm Schaden 1831 die Trennung abgekartet. Zu unserm Schaden war es in vier englischen Kriegen unser Feind. Zu unserm Schaden war es in den Koalitionskriegen unser Bundesgenosse. In jedem holländischen Herzen, das unserer Geschichte nicht ganz fremd ist, lebt tief im Innersten der unausrottbare Widerwille gegen die Gentlemen-Heuchler unter den Nationen. Der Haß gegen die Plünderer von St. Eustatius, gegen die Räuber von Singapore, gegen die Eidbrecher von Smyrna, die — aber wozu eine Aufzählung, die kein Ende finden würde? Diese Erinnerungen an die unserm nieder=

187

ländischen Blute angetanen Demütigungen sind unserm
Volke heilig; England sorgt überdies gewissenhaft dafür, sie lebendig zu erhalten. Auch dieses Jahr hat der
Beschirmer der kleinen Nationen nicht zu Ende gehen
lassen, ohne uns noch einmal deutlich einzuschärfen,
daß er sich um die Heiligkeit von Verträgen nur dann
kümmert, wenn es ihm gelungen ist, andere Völker
zu ihrer Verletzung zu verlocken.

C. Gerretson,
im Januarheft 1916 der „Dietsche Stemmen".

□

Gib mir Schiffsraum — oder ich nehme deine Kohlen!

Neben dem blutigen Ringen gegen die Mittel-
mächte und ihre Verbündeten, in das die Engländer
alle ihre Bundesgenossen und Vasallen gehetzt haben,
führen die Briten noch einen Sonderkrieg: einen Krieg
gegen die Neutralen. Und je aussichtsloser ihre finsteren
Pläne gegen den deutschen Feind, der ihnen mit der
blanken Waffe entgegengetreten ist, werden, um so
gieriger suchen die Briten Erfolge auf diesem Neben-
kriegsschauplatze einzuheimsen, auf dem das Recht und
die Wohlfahrt friedlicher kleiner Völker niedergekämpft
werden soll. Daß englische Konsuln und in englischem
Auftrage handelnde Sonderbehörden in neutralen Ländern als unbeschränkte Herren dem Handelsverkehr
des Landes gebieten und ihn dem Hungertode gegen
Deutschland dienstbar machen, das war der Anfang. Neuerdings geht es nicht mehr allein

188

um die Schädigung Deutschlands, sondern die neutrale Schiffahrt soll gezwungen werden, Englands Zufuhr zu übernehmen. Man will die fremden Schiffe durch Verweigerung der Bunkerkohle zwingen, ein Drittel ihres Laderaumes den Briten zur Verfügung zu stellen. Und gleichzeitig soll allen Schiffen verboten sein, deutsche Kohle zu benutzen. Läßt man alle die widerrechtlichen Scheinheiligkeiten, mit denen der alte Seeräuber sein Handwerk verbrämt, weg, so stellt sich dieses ganze Verlangen dar als der Versuch, den dritten Teil der nichtenglischen Handelsflotten zu beschlagnahmen.

Dr. Kurt Baschwitz,
im „Hamburger Fremdenblatt".

□

Die Bunkerkohle.

Es sind Abmachungen mit den Firmen getroffen worden, welche den hauptsächlichsten Teil des Handels in den an Deutschland grenzenden neutralen Ländern in den Händen halten. Die Schiffahrtslinien der neutralen Länder haben wir durch Vorenthaltung der Kohlen gezwungen, die von England für den Transport von Gütern erlassenen Bestimmungen zu beachten.

Englische amtliche Reutermeldung.

□

Die Erklärung Englands, daß es auf den neutralen Schiffen die deutschen Kohlen beschlagnahmen will, richtet sich nur scheinbar gegen Deutschland, gegen dessen Widerstandskraft sie nur wenig ausrichten kann; in Wirklichkeit ist es eine neue Erweiterung der eng= lischen Zwangsherrschaft über die neutralen Nationen.

Svenska Dagbladet.

□

England mußte seine Unfähigkeit, uns mit Kohle zu versehen, eingestehen; wenn es uns dann glückt, anderweitig Kohle zu bekommen, erklärt England, es werde diese beschlagnahmen. Das ist wahrlich ein Staat, der die kleinen Nationen beschützt!

Stockholms Dagblad.

□

Margarine gehört England ...

Die Regierung hat veranlaßt, daß die Bücher der holländischen Margarinefabriken in bestimm= ten Zeiträumen von einer Firma englischer Bücherrevisoren geprüft werden, die dem Aus= wärtigen Amt genau mitteilen werden, was mit den Erzeugnissen dieser Fabriken geschieht. Diese Maßnahmen sind bedeutsamer Natur, und die englische Regierung hofft, daß sie in dreifacher Weise nützlich sein würden. Erstens werden sie die Durchfuhr von Ölen und Fetten nach Deutschland verhindern. Zweitens werden sie die Versorgung Englands mit

190

Margarine, die unbedingt notwendig sei, sicherstellen, und drittens werden sie den Holländern die Rechte des neutralen Handels, auf die Holland Anspruch habe, gewährleisten.

Lord Cecil im Unterhaus.

□

Die neue Blockade.

Die Blockade, wie man sie in früheren Zeiten kannte, ist durch die Mine und den Torpedo abgetan. Wir erklären nicht mehr die Blockade, die jedem Schiffe verbietet, ein bestimmtes, durch die Anwesenheit eines Blockadegeschwaders kenntlich gemachtes Gebiet zu passieren. Wir machen statt dessen bekannt, daß alle ein bestimmtes Seegebiet befahrenden Schiffe das auf eigene Gefahr tun. Die Minen besorgen das übrige. Das sind Ausnahmemaßnahmen, die den neuen Bedingungen, unter denen dieser Krieg geführt wird, angepaßt sind.

Der Marinesachverständige der „Times".

□

Eine amerikanische Stimme.

Werden wir ruhig weiter an England liefern, was es genötigt ist, aus Amerika zu beziehen, während die Handelsrechte der Staatsbürger unseres Landes mit Füßen getreten werden? England kann nicht den Krieg fortsetzen ohne Munition aus den Ver-

191

einigten Staaten. England kann nicht seine Bevölkerung ernähren, ohne Lebensmittel aus den Vereinigten Staaten und anderen neutralen Ländern. England kann die anderthalb Millionen Leute, die in den Spinnereien von Lancashire arbeiten, nicht einmal sechzig Tage beschäftigen, ohne Baumwolle aus den Vereinigten Staaten. Das ungesetzliche Vorgehen Englands hat während des letzten Jahres stark zugenommen. Jeder Tag bringt einen neuen Beweis der Mißachtung neutraler Rechte. Durch Entschlossenheit, aber auf friedlichem Wege können die Neutralen von beiden Kriegführenden leicht die erwünschten Rechte erhalten. Die Bürger der Vereinigten Staaten haben, nach jeder Regel des internationalen Rechtes, das Recht, an die Nichtkämpfer in Deutschland und Österreich=Ungarn zu deren Gebrauch über die neutralen Häfen im nördlichen Europa alle Lebensmittel zu verschiffen, die diese zu kaufen wünschen. Dasselbe ist gleichfalls richtig für die Rohbaumwolle. England kann nicht hoffen, durch diese Gesetzlosigkeit etwas zu erreichen, sofern eine unmittelbare Wirkung auf den Krieg in Frage kommt.

Congreßman Smith im amerikanischen Parlament.

□

England und die belgische Neutralität.

An dem Werte des Kongostaates für England ist nicht zu zweifeln. Wie aber, wenn es ein Opfer

192

brachte, um nun auch das neutrale Belgien
für die Einkreisungspolitik gegen Deutschland
zu gewinnen? Solche Opfer sind der englischen
Weltpolitik damals nicht fremd geblieben. Den Franzosen wird 1904 Marokko und den Russen 1907 Persien und Tibet teilweise geopfert, um beide, Franzosen
und Russen gegen Deutschland zu binden. Ähnlich
konnte man den Belgiern den Kongo opfern, d. h.
nach Beseitigung des Leopoldinischen Regimentes in
die Annexion des Kongostaates durch den belgischen
Staat willigen. Natürlich mußte sich der belgische Staat
für diese außerordentliche Erweiterung seines Gebietes
erkenntlich zeigen: er mußte seinerseits auch ein Opfer
bringen, und das war seine Neutralität. Er mußte sich
unter Preisgabe seiner Neutralität dem großen Hetz-
hunde gegen Deutschland anschließen. England betrachtet seine Zustimmung zur Annexion des Kongostaates
in Belgien gewissermaßen als Morgengabe an die neue
Alliierte. Der Neutralitätsbruch war dann das kost-
barste Stück aus ihrer Mitgift. War aber Belgien wi-
derspenstig, hielt es an seiner Neutralität fest, entzog
es sich den englischen Europaplänen: so sorgte England schon dafür, daß die Belgier den Kongostaat nicht
bekamen. Dann wurde er höchstwahrscheinlich englisch.
Wenn den Belgiern etwa ob ihres schamlosen Neu-
tralitätsbruches das Gewissen schlug, wenn sie etwa
doch noch Luft verspürten, dem teuflischen Netze der
Conventions Anglo-Belges zu entrinnen: dann ver-
wiesen die Engländer auf den Kongostaat und erklär-

ten: Wer nicht mit uns ist, der ist wider uns.
Wenn ihr nicht mit uns gehen, sondern an eurer pa=
piernen Neutralität festhalten wollt, so ist euch das un=
benommen. Nur dürft ihr euch dann auf den Kongo=
staat keine Hoffnungen mehr machen. Dann behalten
wir ihn wahrscheinlich selbst. Denn euer König und
das blaue Banner mit dem goldenen Stern haben na=
türlich ausgespielt.

J. Hashagen
in der „Hilfe".

□

England und Griechenland.

England streckt seine Hände aus zu jeder
Nation, deren Sicherheit oder Unabhängigkeit
bedroht oder angegriffen wird.

Sir Edward Grey im Parlament, August 1914.

□

Um die wünschenswerte Kriegsbegeisterung in die
Massen zu tragen, mußte die englische Regierung zu
dem Mittel greifen, den deutschen Einmarsch in Bel=
gien als Kriegsgrund zu proklamieren und mit der denk=
bar würdelosesten Propaganda zu popularisieren. Die
englische Landung in Griechenland hat dieser
verächtlichen Scheinheiligkeit Englands ein un=
vergängliches Denkmal errichtet.

Norddeutsche Allgemeine Zeitung.

□

194

Griechenlands Vergewaltigung.

Ruhm freilich ist für den Vierverband nicht zu er=
werben, wenn die griechische Frage jetzt wirklich wie=
der in den Vordergrund des Interesses gerückt werden
sollte, zumal nicht für England, das dann von sich
sagen könnte, daß seine einzige Eroberung auf dem
Boden seines engsten Bundesgenossen liegt, in Calais,
daß sein einziger wirklicher Waffensieg von dem Blut
der eigenen Untertanen trieft, in Irland, und daß es
seinem angeblichen Kriegsziel, der Befreiung der klei=
nen Nationen, um einen weiteren Schritt nähergen=
kommen ist, indem es nach der Preisgabe der
im Kriege befindlichen kleinen Völker, Bel=
gien, Serbien und Montenegro, nun auch bei
der Vergewaltigung der nicht im Kriege Befindlichen
zur bewaffneten Unterjochung ihrer territorialen und
zentralen Hoheitsrechte und Lebensbedingungen über=
geht.   Hamburger Fremdenblatt.

□

Die Griechenland zugefügte Neutralitätsverletzung
ließ sich bei der Besetzung von Saloniki allenfalls noch
mit der Genehmigung Venizelos' rechtfertigen; wei=
tere Schritte ermangeln aber jeder Berechtigung. Ohne
Befragung der griechischen Regierung haben italienische
und englische Schiffe serbische Flüchtlinge nach Korfu
übergeführt und gleich rücksichtslose Maßregeln überall
in Griechenland durchgeführt, wo die Alliierten einen
„kontrollierenden Einfluß" ausüben. Noch stärker jedoch

195

wird die griechische Neutralität verletzt durch das Ver=
langen, die Eisenbahnen zum Transport serbischer Trup=
pen zur Verfügung zu stellen. Das bedeutet mit
andern Worten die Einräumung uneingeschränk=
ten militärischen Verkehrs durch das ganze
Land. Der Unwillen darüber ist in Griechenland so
tief und bitter, daß alles andere augenblicklich dagegen
in den Hintergrund tritt.

„Politiken", Kopenhagen.

□

Ein wahrhaft guter Witz!

Der englische Zeitungsdienst von Poldhu bringt
unter dem 16. Januar 1916 folgende Nachricht: Ein
Telegramm aus Sidney meldet, daß eine große An=
zahl Griechen um die Erlaubnis nachsuchte, mit den
Australiern dienen zu dürfen, um so eine kleine Ent=
schädigung für die edle Weise zu bieten, mit der Eng=
land Griechenland beistand.

Wolffs Telegraphen=Bureau.

□

Die Post im Seekriege (1916).

Von Oberlandesgerichtsrat Dr. Nöldeke, Hamburg.

Trotz der andauernden Beschwerden der
Neutralen läßt England sich in der Beschlag=
nahme fremder Postsendungen nicht stören.
Den Gipfelpunkt dieses Vorgehens bildet wohl die

196

rechtswidrige Aneignung holländischer Wertpapiere, die
auf dem Wege nach Amerika waren, durch englische
Kriegsschiffe. Jetzt ist wieder die gesamte nach Amerika
bestimmte Skandinavische Post, einschließlich der Brief=
post, in Kirkwall von einem skandinavischen Schiff her=
untergeholt und festgehalten worden.

In diesem britischen Vorgehen liegt entschieden ein
System, und zwar ein System, das sich nicht allein über
die Rechte und Interessen der Neutralen rücksichtslos
hinwegsetzt, was bei England, dem „Beschützer der
kleinen Staaten“, ja gewiß nicht mehr überrascht, son=
dern vor allem ein Verfahren, das sich gegen den ganzen
neutralen Verkehr in der schärfsten Weise richtet. Das
ergibt sich ohne weiteres aus den durchaus zutreffen=
den Worten, die der deutsche Vertreter, Wirkl. Geh.
Legationsrat Dr. Kriege in der Sitzung der vierten
Kommission der zweiten Haager Friedenskonferenz vom
24. Juli 1907 gesprochen hat. Er führte aus, daß die
postalischen Beziehungen in unserer Zeit von solcher
Wichtigkeit sind, daß so viele Handels= und andere In=
teressen auf dem regelmäßigen Briefverkehr beruhen,
daß es äußerst wünschenswert sei, ihn vor allen Stö=
rungen zu sichern, die durch den Seekrieg entstehen
würden. Auf der andern Seite sei es wenig wahrschein=
lich, daß die Kriegführenden, denen für die Übermittlung
ihrer Nachrichten die Wege der Telegraphie und der
Funkentelegraphie zur Verfügung ständen, zum ge=
wöhnlichen Postverkehr greifen würden, um Nachrichten
über die militärischen Operationen zu verbreiten. Der

197

Nutzen, der für die Kriegführenden aus der Kontrolle des Postverkehrs erwachse, stehe daher in keinem Verhältnis zu den Schädigungen, die die Ausübung der Kontrolle für den rechtmäßigen Handel mit sich bringe.

Ein deutscher Antrag, die auf See auf neutralen oder feindlichen Schiffen vorgefundenen Briefpostsendungen der Neutralen oder der Kriegführenden, mögen sie amtlicher oder privater Natur sein, für unverletzlich zu erklären, wurde von der Haager Konferenz angenommen, und zwar auch mit Zustimmung Englands. Die Gründe, die gegen ihn geäußert wurden, bezogen sich lediglich auf militärische Gesichtspunkte. Niemand dachte nur entfernt daran, daß eine Wegnahme neutraler Postsendungen lediglich aus geschäftlichen Wettbewerbabsichten sollte erfolgen können, wie es jetzt von England offensichtlich geschieht. Wäre dieser Gedanke im Haag auch nur gestreift worden, so würde keine Macht sich gegen ihn schärfer gewandt haben als England, das bei jenen Verhandlungen seine Stellung als neutraler Staat möglichst zu sichern bestrebt war, aber insgeheim sich schon vornahm, daß, wenn es selbst in einen Krieg verwickelt würde, seine Tradition ihm schon gestatten werde, sich über solche schriftliche Abmachungen kühl hinwegzusetzen.

Dieses Verfahren übt denn auch England ungefähr seit dem Beginn des Weltkrieges mit dem Abkommen vom 18. Oktober 1907 über die Befreiung der Briefpostsendungen vom Seebeuterecht. Anfänglich hat es gar nicht einmal für notwendig gehalten, sein

198

rechtswidriges Verhalten irgendwie zu rechtfertigen. Dann aber hat es sich auf den Standpunkt gestellt, daß es die fremden Postsendungen nicht auf dem offenen Meer beschlagnahme, sondern in seinem Hafen Kirk= wall, und daß sein Recht gegenüber Postsendungen, die englisches Gebiet berührten, in keiner Weise einge= schränkt sei. Nun ist an sich nicht zu leugnen, daß im Kriege auch das Briefgeheimnis höheren Rücksichten weichen muß, und daß namentlich der postalische Ver= kehr zwischen Inland und Ausland während des Krie= ges mit Recht einer scharfen Kontrolle unterworfen werden muß.

Aber im vorliegenden Fall handelt es sich gar nicht um einen Verkehr zwischen England und dem Ausland oder auch nur um einen bestimmungsgemäß durch Eng= land hindurchgeleiteten Postverkehr. Vielmehr hat Eng= land die neutralen Schiffe gezwungen, seinen Hafen Kirkwall anzulaufen, damit es dort bequemer als auf hoher See, und um nicht von den gefürchteten deutschen U=Booten in seiner Inquisitionstätigkeit gestört zu wer= den, die Durchsuchungen vornehmen kann. Diese Durch= suchungen sind aber unzweifelhaft rechtlich vollkommen denen auf hoher See gleichzustellen. Dadurch, daß ein neutrales Schiff gezwungen wird, zum Zweck der Durchsuchung Kirkwall anzulaufen, verliert die an Bord befindliche Ladung in keiner Weise ihren rechtlichen Charakter. Sie bleibt immer Ladung an Bord eines neutralen Seeschiffes. Und als solche ist die Briefpost grundsätzlich unantastbar. Wenn man hieran noch ir=

199

gendwie zweifeln könnte, so wird das widerlegt durch die Bestimmung des Haager Abkommens, daß, wenn die Beschlagnahme des Schiffes erfolgt, Briefsendungen von dem Beschlagnehmer möglichst unverzüglich weiter= zubefördern sind, was von England nicht nur nicht be= folgt, sondern sogar in das Gegenteil verkehrt wird, indem für Deutschland bestimmte oder von dort kom= mende Briefpostsendungen vielfach direkt vernichtet werden.

Als auf deutsche Anregung das genannte Abkom= men von 1907 zustande kam und allgemein als durch= aus zeitgemäß anerkannt wurde, meinte man, daß nun= mehr den Postplackereien auf See, die in früheren Kriegen, z. B. im Burenkriege und im ostasiatischen Kriege, so viel böses Blut gemacht hatten, definitiv ein Ende bereitet wäre. Darin hat man sich gründlich getäuscht. Der Postraub auf See hat in diesem Kriege einen Umfang angenommen, wie man ihn früher auch= nicht annähernd für möglich gehalten hätte. England zeigt auch hier wieder, daß es seinem maritimen Macht= bedürfnis alle anderen Rücksichten, sei es auf die Neu= tralen, sei es auf die Entwicklung des Verkehrs, in stärk= ster Weise unterordnet.

□

Englischer Postraub im Weltkriege.

Nach einer Statistik in der „Deutschen Juristenzeitung" vom Mai 1916 sind folgende Fälle von Postraub an Brief=

posten im deutsch-überseeischen Verkehr seit Dezember 1915 festgestellt worden:

A. Verkehr mit den Verein. Staaten von Amerika

a) ausgehend

1. auf niederländischen Schiffen beschlagnahmt . . . . 6099 Briefposten
2. auf dänischen Schiffen beschlagnahmt . . . . 772 Briefposten

b) ankommend

1. auf niederländischen Schiffen beschlagnahmt . . . . 1181 Briefposten
2. auf dänischen Schiffen beschlagnahmt . . . . 1344 Briefposten
3. auf norwegischen Schiffen beschlagnahmt . . . . 239 Briefposten

B. Verkehr mit Spanien, Portugal und Südamerika

a) ausgehend

auf niederländischen Schiffen beschlagnahmt . . . . 4643 Briefposten

b) ankommend

auf niederländischen Schiffen beschlagnahmt . . . . 1715 Briefposten

C. Verkehr mit Niederländisch-Indien

a) ausgehend

auf niederländischen Schiffen beschlagnahmt . . . . 245 Briefposten

201

□□□

b) ankommend

auf niederländischen Schiffen beschlag=

nahmt . . . . 213 Briefposten

Diese zum erstenmal der Öffentlichkeit übergebenen
Zahlen bezeichnet Reichsgerichtsrat Neukamp in einem
Aufsatze „Über den englischen Postraub im Lichte des
Völkerrechts" als einen neuen Beweis für die gröbliche
Verletzung des Völkerrechts durch England.

Wolffs Telegraphenbureau.

□

England und seine Bundesgenossen.

□

Eine Enttäuschung ...

Der große Irrtum, den wir alle begingen,
ist, daß wir uns zu sehr darauf verlassen ha=
ben, was andere für uns tun würden. Im
Anfang des Weltkrieges ließ sich das entschuldigen,
aber jetzt sollten wir besser unterrichtet sein. Wir müs=
sen uns klar sein, daß dies unser Krieg ist. Kein
anderes Volk kann ihn zu unseren Gunsten beenden.
Wir müssen ihn gewinnen, sowohl für uns, als für un=
sere Verbündeten. Wenn wir den Krieg nicht gewinnen,
so kann es niemand anderes. Wir haben immer
gehofft, daß jemand anderes sich für uns

202

schlagen würde. Auch die Russen haben zeitweise gehofft, daß anderwärts etwas zu ihrer Hilfe geschehe; aber seit dem letzten Frühjahr haben sie die Hoffnung aufgegeben, daß jemand anderes sie retten kann. Sie sind entschlossen, sich selbst zu retten, aber es wäre töricht, darauf zu rechnen, daß sie auch uns retten. England hat Rußland unrecht getan, indem es zuviel von ihm erwartete und die ungeheuren Opfer nicht würdigte, die Rußland gebracht hat.

Der Petersburger Korrespondent der „Daily Mail". 1915.

◻

Home, sweet home . . .

Viele dieser Truppen werden heute noch ausgebildet, viele aber stehen schon ein Jahr und darüber unter den Waffen und müssen heute ganz so felddiensttüchtig sein, als sie es überhaupt je sein werden. Warum ein großer Teil davon heute nicht in Frankreich ist, kann kein Mensch begreifen. Wir mögen gute Gründe dafür haben, daß wir soviele Soldaten in unseren Garnisonstädten und Lagern zurückhalten; andererseits ist es aber wohl begreiflich, daß die Franzosen ungeduldig werden und fragen, wann die Engländer mehr Soldaten an die Front senden werden, um einen Teil ihrer eigenen kriegsgeprüften Veteranen abzulösen und den beständigen Ruf nach Nachschüben aus ihrer Zivilbevölkerung etwas weniger dringend zu machen.

Sydney Low in der „Daily Mail". 1915.

◻ .

203

Verbündetentreue der Engländer.

Das war aber nicht die einzige Treulosigkeit des englischen Ministers gegen den König (Friedrich den Großen). Wenn wir hier ungeschminkte Ausdrücke wählen, so geschieht es, weil schurkische Handlungen in der Geschichte stets mit den niedrigen und abstoßenden Zügen, die ihnen gebühren, geschildert werden sollten, und wäre es nur, um der Nachwelt Abscheu einzuflößen. Wie man weiß, sind gewisse Schurkereien in der Politik dadurch sanktioniert, daß man sie allgemein übt. Es soll uns recht sein, wenn man ihnen mildere Namen gibt. Aber einem Verbündeten die Treue brechen, Komplotte gegen ihn schmieden, wie sie kaum seine Feinde ersinnen könnten, mit Eifer auf seinen Untergang hin arbeiten, ihn verraten und verkaufen, ihn sozusagen meucheln, solche Freveltaten, so schwarze und verwerfliche Handlungen müssen in ihrer ganzen Scheußlichkeit gebrandmarkt werden, damit das Urteil der Nachwelt alle abschreckt, die ähnlicher Verbrechen fähig sind.

Friedrich der Große. (Der Siebenjährige Krieg.)

□

Der sarkastische Bur . . .

Wir sehen aus den holländischen Blättern, daß England griechisches Gebiet besetzt hat. Dom Dante sagt, vor Jahren habe er ein Buch von Dickens gelesen, die „Pickwick-Papers", und in dem Buch komme eine Beschreibung vor, wie Mr. Pickwick und Mr. Tup-

204

man in einer englischen Stadt zusammen nach dem
Gefängnis gebracht worden seien. Pickwicks Diener,
der ein wenig spazieren ging, sah das und ging auf die
Polizei los, um Pickwick zu befreien. Nun bekam auch
Pickwicks Freund, Mr. Winkle, Mut, und schlug auf
einen kleinen „Boy", der auf der Straße stand, los.
England macht es auch so wie Mr. Winkle, und kämpft
lieber mit dem armen kleinen Boy, der Ro=
sinen verkauft, als mit dem großen starken
Kerl, der aus Deutschland kommt.

* * *

Dom Danie hat recht gehabt, als er sagte, nur
ein Maulesel könne glauben, daß England
Serbien helfen würde. England hat nach Belgien
eine Abteilung Schnelläufer gesandt, die im „Re=
kord=Time" von Belgien nach der holländischen Grenze
gelaufen sind; nach Serbien hat es eine Abteilung
Langsamläufer geschickt, die in zwei Monaten noch
nicht von Saloniki an die serbische Grenze kamen.

* * *

Von England glauben wir nichts mehr; nicht mehr
als daß es schwatzt und schwatzt und andere für
sich kämpfen läßt.

* * *

Wenn Holland gegen Deutschland ins Feld zieht,
sollen die englischen Blätter die Holländer drei Tage
lang als große Helden hinstellen. England soll gegen
Vergütung Polizei nach Holland schicken, um danach
zu sehen, daß auch der letzte Holländer in die Ar=

205

mee kommt. Die holländischen Schiffe und das Geld
der Niederländischen Bank soll England für Hol=
land aufbewahren, damit sie nicht den Deutschen
in die Hand fallen. Bleiben die Holländer frei, so kön=
nen sie sie gelegentlich gegen Vergütung zurück=
erhalten; geht es den Holländern schief, dann werden
sie wohl begreifen, daß der Engländer das Geld und
die Schiffe nicht an die Barbaren ausliefern
kann.

Ein alter südafrikanischer Bur
im „Nieuwe Rotterdamsche Courant" 1916.

◻

Nichts von Frieden! England wird den
Krieg fortsetzen, bis der letzte Franzose ge=
fallen ist!

Simplicissimus 1916.

◻

206

Die Stimmen von Guildhall.

Preisend mit viel schönen Reden ihre Macht in Ost und
West,
Saßen Englands Würdenträger bei dem Bürgermeister-
fest.

In Ägypten, sprach Lord Asquith, fällt der Türke uns
ins Haus!
Was wir ehrlich einst gestohlen, geben wir nicht mehr
heraus!

Auf dem Meere, rief Lord Churchill, sind die Deutschen
uns verhaßt,
Niemand darf zur See uns hindern, auszuplündern,
was uns paßt!

Diese Deutschen, knurrte Kitchener, sind des Fortschritts
Feinde nur,
Mit Kosaken und mit Gurkhas schützt der Brite die Kul-
tur!

— Einer, Hände in den Hosen, spielte mit dem Porte-
monnaie,
Hämisch grinsend, Zähne fletschend, so ergriff das Wort
Lord Grey:

207

Nicht vergeßt, geliebte Brüder, wer das Messer hat
geweßt,
Wer im fernsten Erdenwinkel Mord= und Raubgier
aufgeheßt!

Das ist mein Verdienst! Vergeßt nicht, liebe Brüder,
danket mir's!
Da erhoben sich die andern und umbrausten ihn mit
Cheers!

Nie soll dir's vergessen werden! klang's in jubelndem
Triumph.
Nie soll dir's vergessen werden! dröhnt ein Echo
hohl und dumpf.

Sigmar Mehring.

□

208

Im Anfang war das Wort

❑ ❑ ❑

Worte, Worte, nichts als Worte.

Shakespeare

□

In den letzten Wochen haben sämtliche Völker meines Reiches, des Mutterlandes und der Kolonien sich geeinigt, um einem Angriff ohnegleichen auf Kultur und Weltfrieden die Spitze zu bieten. Ich habe diesen unseligen Kampf nicht gesucht, im Gegenteil, meine Stimme hat sich immer zugunsten des Friedens erhoben. Meine Minister haben alles versucht, um die Spannung zu vermindern und die Schwierigkeiten zu beseitigen. Konnte ich mich abseits halten, als Verträge, woran auch mein Reich sich beteiligt, vernichtet, belgisches Gebiet verletzt, seine Städte zerstört und Frankreich mit dem Untergang bedroht wurde? Ich würde damit meine Ehre opfern, die Freiheit meines Reiches und der Menschheit dem Untergang geweiht haben. Es freut mich, daß alle Teile meines Reiches meinen Entschluß billigen. Großbritannien und mein ganzes Reich betrachten die absolute Respektierung des einmal gegebenen Wortes in Verträgen, welche von

211

□□

den Fürsten der Völker unterschrieben wurden, als ein
gemeinsames Erbteil. Ich bin stolz darauf, der ganzen
Welt zeigen zu können, daß meine Völker in den Kolonien
ebenso fest entschlossen sind, als diejenigen in meinem
Königreich, die gerechte Sache bis zum befriedigen=
den Ende zu verteidigen. Damit ist die Einmütigkeit des
Reiches glänzend ins Licht getreten.

Der König von England
in einer Proklamation zum Weltkrieg an die britischen Kolonien.

□

Ein Sprichwort aus dem Mittelalter.

Drei Dingen muß ein Mann aus dem Weg gehen —
den Hufen eines Pferdes, den Hörnern eines Stiers
und dem Lächeln eines Engländers.

Aus Sir Roger Casement, „The crime against Europe"
The Continental Times Co., Berlin 1915.

□

Beschwindelung und Ausbeutung.

Da die Engländer die ganze Erde beschwindeln und
ausbeuten, zugleich aber auch eine sehr fromme Nation
sein wollen, so sind sie auf das sinnreiche Auskunftsmittel
verfallen, alle übrigen Völker als untergeordnete Rassen,
als Gojim im althebräischen Sinne anzusehen, die von
Gottes und Rechts wegen der Beschwindelung und Aus=
beutung durch das auserwählte Volk der Engländer preis=
gegeben seien. Ein grüngelber Faden von Heuchelei zieht
durch das ganze englische Wesen, von der kolossalen Heu=

chelei der englischen Verfassung an, unter deren Schutz etliche Millionen Menschen daheim, etliche hundert Millionen in den Kolonien von etlichen tausend Familien ausgebeutet werden, bis herab zu der jämmerlichen Heuchelei, welche vorgibt, die beiden größten Dichter Englands, Shakespeare und Byron, seien mit der versauerten Prüderie einer einfältigen Pensionsvorsteherin anzusehen.

Ich bin überzeugt, das unerbittlichste Mißtrauen gegen die vor keiner Tücke zurückschreckende englische Selbstsucht wird mehr und mehr zum Katechismus eines Deutschen gehören müssen, welcher sein Vaterland liebt und nicht mehr jung genug ist, den Köder liberaler englischer Zeitungsphrasen zu verschlucken.

Johannes Scherr, 1875.

□

Die Worte von früher.

Deutschlands Kraft ist die beste Bürgschaft gegen einen Versuch anderer Länder, ohne Rechtsgrund mit diesem starken Reiche Streit zu suchen. Die öffentliche Meinung Deutschlands kann aber nicht verkennen, daß eine Nation, die über das größte Heer der Erde verfügt, die eine große Flotte hat und eine noch größere bauen will, mit der Furcht friedlicher Mächte rechnen muß, dieses Heer und diese Flotte könnten zum Angriff benutzt werden.

Deutschland, das auf seine Stärke stolz sein darf, muß deshalb, wie mir scheint, alles ihm Mögliche tun, um den Verdacht zu entkräften, daß es einen Angriff

213

vorbereite. Wir haben den ernsten Wunsch, mit dem Deutschen Reiche als mit einer gleichbe= rechtigten Macht zu verkehren. Wir denken nicht daran, ihm in den Weg zu treten, auf dem es zu fried= licher Vereinbarung über afrikanische Gebietsteile zu kommen hofft, und ich werde, was ich irgend vermag, tun, um unser Verhältnis zu diesem Reiche zu bessern.

Sir Edward Grey, 1913.

□

Wir gönnen dem Deutschen Reiche den Platz, den es sich auf der Erde erobert hat, und trachten nicht, es an neuer Vergrößerung zu hindern.

Bonar Law.

□

Deutschlands rascher Flottenbau erzwingt, weil er auch uns große Aufgaben aufbürdet, unsere Wachsamkeit, darf uns aber nicht das Gefühl herzlicher Freundschaft für ein Land rauben, dessen Ehrgeiz nicht nur verständlich, sondern sogar erhaben genannt werden kann. Ein Volk, das auf allen Gebieten so ungemeine Fortschritte ge= macht hat, muß sich Raum wünschen, auf dem der im alten Hause überschüssige Teil gedeihen kann, ohne sich von seinem Volkstum, von den hohen deutschen Idealen zu trennen. Und an solchem Raum fehlt es ja unter der Sonne nicht.

Viscount Morley.

□

214

Aus unferen Gesprächen könnte ich taufend Sätze anführen, über deren unferem England freundlichen Inhalt die Briten staunen müßten. Der Kaifer hat das gütigfte Herz, und nie habe ich aus feinem Munde ein Wort gehört, das nicht Sympathie mit England ausfprach. Die Vorstellung eines Krieges, der Taufenden ihr Liebftes rauben würde, erfüllt ihn mit tiefftem Abfcheu.

Lord Lonsdale.

□

Cant ...

Es fteht nirgends in der Bibel gefchrieben, daß man keine Dum-Dum-Gefchoffe verwenden darf.

Simpliciffimus.

□

Heinrich Heine:

Es ift gewiß eine fchreckliche Ungerechtigkeit, über ein ganzes Volk das Verdammungsurteil auszufprechen. Doch in betreff der Engländer könnte mich der augenblickliche Unmut zu dergleichen verleiten. So fehr fie als Individuen zuverläffige Freunde find, fo fehr muß man ihnen als Nation, oder, beffer gefagt, als Regierung mißtrauen. Die Maffe, die Stock-Engländer — Gott verzeih' mir die Sünde! — find mir in tiefster Seele zuwider, und manchmal betrachte ich fie gar nicht als meine Mitmenfchen, fondern ich halte fie für leidige Automaten, für Mafchinen, deren inwendige Triebfeder

215

der Egoismus ist. Es will mich dann bedünken, als hörte ich das schnurrende Räderwerk, womit sie denken, fühlen, rechnen, verdauen und beten, — ihr Beten, ihr mechanisches anglikanisches Kirchengehen mit dem vergoldeten Gebetbuch unterm Arm, ihr linkisches Frömmeln ist mir am widerwärtigsten.

□

Das schlimmste Zeichen, das man von einem Minister meines Landes erhalten kann, ist ein Versprechen — zumal, wenn es durch einen Schwur bekräftigt wird. Jeder kluge Mensch zieht sich, wenn er ein solches erhält, sofort zurück und läßt jede Hoffnung fahren.

Jonathan Swift im „Gulliver".

□

Der Pharisäer.

□

Auch wenn ihr Geschäfte treibt, schätzt ihr euern kaufmännischen Vorteil nicht höher als Gottes Gnade, vielmehr haltet ihr die göttliche Gnade für den größeren Gewinn.

Cromwell, 1658.

□

216

Gib mir dein Land, ich werde dir die Bibel geben!

Aus Max O'Rell (Paul Blouet)
„John Bull et son Isle".

□

Die besondere Rasse.

Der Engländer ist eine besondere Rasse. Jeder Eng=
länder ist mit einer gewissen wunderbaren Kraft begabt,
die ihn zum Herrn der Welt macht. Wenn er eine Sache
zu haben wünscht, so sagt er sich niemals, daß er sie wünscht.
Er wartet geduldig, bis ihm plötzlich — man weiß nicht
wie — die brennende Überzeugung kommt, daß es seine
moralische und religiöse Pflicht sei, über diejenigen Herr
zu sein, die die von ihm gewünschte Sache besitzen. Dann
wird er unwiderstehlich. Wie der Aristokrat tut er, was
ihm gefällt und packt, wonach ihn gelüstet; wie der Krämer
verfolgt er seine Absicht mit einem Eifer und einer Be=
harrlichkeit, die einer starken religiösen Überzeugung und
einem tiefen Gefühl für moralische Verantwortlichkeit
entspringen. Er ist niemals in Verlegenheit um eine
wirkliche moralische Haltung. Als der große Vorkämpfer
für Freiheit und nationale Unabhängigkeit bekriegt und
annektiert er die halbe Welt und nennt das Kolonisation.
Wenn er ein neues Absatzgebiet für seine verdorbenen
Manchesterwaren braucht, sendet er eine Mission aus,
um den Eingeborenen das Evangelium des Friedens zu
lehren. Die Eingeborenen töten die Missionare: er eilt
zu den Waffen in Verteidigung des Christentums, kämpft

217

für es und nimmt dafür den Markt als Lohn vom Himmel. Zur Verteidigung seiner heimischen Küsten nimmt er einen Geistlichen an Bord seines Schiffes, nagelt eine Flagge mit dem Kreuz an seinen Mast und segelt zu den Enden der Erde, in Grund bohrend, verbrennend, und vernichtend alle, die ihm die Herrschaft über die Meere streitig machen. Er rühmt sich, daß ein Sklave frei sei in dem Augenblicke, daß sein Fuß britische Erde berühre; und er verkauft die Kinder seiner Armen im Alter von sechs Jahren, um sie in seinen Fabriken sechzehn Stunden am Tage fronden zu lassen. Er macht zwei Revolutionen und dann erklärt er der französischen Revolution den Krieg im Namen von Gesetz und Ordnung. Es gibt nichts so Schlechtes oder so Gutes, was man nicht Engländer tun sehen kann — aber man wird niemals einen Engländer im Unrecht finden. Er tut alles aus Grundsatz. Er kämpft mit dir aus patriotischen Grundsätzen; er beraubt dich aus geschäftlichen Grundsätzen; er unterjocht dich aus imperialistischen Grundsätzen; er überschreit dich (be bullies you) aus männlichen Grundsätzen; er tritt für seinen König ein aus loyalen Grundsätzen, und haut ihm den Kopf ab aus republikanischen Grundsätzen. Seine Parole ist stets Duty (Pflicht); er vergißt niemals, daß die Nation, welche ihre Pflicht in Gegensatz zu ihrem Interesse treten läßt, verloren ist.

Aus Bernhard Shaws Einakter: The man of destiny.
(In Napoleons Mund gelegte Worte.)

□

Der Erzheuchler.

Wenn England nicht vortritt und sich erbötig macht, aus demselben Grund, den es anderen aufzwingen will, seinerseits Konzessionen zu machen, würde man es mit Recht für einen Erzheuchler erklären. Wenn England an allem festhält, was es sich in der Vergangenheit aneignete — oft mit sehr fragwürdigen Mitteln — und erklärt, daß es keinen Zoll Bodens und kein einziges Vorrecht aufgeben will, sagt es sich von den Grundsätzen des Christentums los und verläßt sich auf den Grundsatz des Wettbewerbes.

Der englische Gelehrte Dr. Lyttleton,
Leiter des Eton College, im Jahre 1915.

□

Nirgendwo gibt es so viel Heuchler und Scheinheilige wie in England.

Goethe, Gespräch mit Förster, 1829.

□

Wir durchschauen heute deutlicher als vor Jahren den blauen Dunst von Sophistik und Lügen, womit Berlin uns zu umnebeln und die internationale Lage zu besudeln suchte. Wir erkennen immer deutlicher die Ehrlichkeit unserer Diplomatie, die beständige, ja leidenschaftliche Friedensliebe, womit wir ein weltweites Unglück abzuwenden trachteten, die unvermeidliche Pflicht, die uns zwang, die nationale

219

Ehre zu verteidigen und unsere Kraft für die heilige
Sache der Freiheit einzusetzen. Wir werden weiterhin
alles, was wir haben, Reichtum, Industrie, Intelligenz,
das Leben unserer Kinder und den Bestand des Reiches
für diese würdige Sache einsetzen.

Premierminister Asquith im engl. Unterhaus
im September 1915.

□

Die Königin, das Urbild.

Die Hauptursache der Abgötterei, welche vom rich=
tigen Engländertum mit der Queen Beß — dieser grau=
samen Kokette und männersüchtigen Richtjungfer — ge=
trieben wurde und wird, dürfte sein, daß Elisabeth so
recht das Urbild der englischen Heuchelei, Scheinheilig=
keit und ‚respectability‘ darstellt. Eine schlauere, kühnere,
konsequentere Heuchlerin als sie hat niemals in einem
Unterrocke gesteckt. Sie war das Fleisch und Blut ge=
wordene ‚Qui nescit dissimulare, nescit regnare‘. Die
Verstellung war der Sauerstoff ihrer Seele und sie lebte
in der Intrige wie der Fisch im Wasser. Sie verdiente
zwei so vollendete Heuchler wie Cecil und Walsingham
zu Ministern zu haben, denn sie mußte auch diese zu über=
heucheln. Wie die Nationaleitelkeit der Franzosen in
einem vierzehnten Ludwig und in einem ersten Napo=
leon sich selber anbetet, so vergöttert die Nationalschein=
heiligkeit der Engländer sich selber in der Person der
Königin Elisabeth.

Johannes Scherr, „Menschliche Tragikomödie".

□

220

Das verrückte englische Gehirn.

Alle Machtmittel der Welt haben unsere Feinde bisher vergeblich gegen uns aufgeboten, eine ungeheure
Koalition, tapfere Soldaten — wir wollen die Feinde
nicht verachten, wie es unsere Gegner gern tun —, den
Plan, eine Nation von 70 Millionen mit Weibern und
Kindern auszuhungern, Lug und Trug. In demselben
Augenblick, wo der Mob der Straße in englischen Städten
die Habseligkeiten wehrloser Deutscher verbrennt, wagt
es die englische Regierung, ein Dokument mit Aussagen ungenannter Zeugen über die angeblichen belgischen
Greuel zu veröffentlichen, die so ungeheuerlich sind,
daß nur ein verrücktes Gehirn ihnen Glauben
schenken kann.

Der deutsche Reichskanzler im Reichstag am 28. Mai 1915.

◻

Englische Skrupellosigkeit.

England hat im Laufe der neuern Geschichte jederzeit das Bedürfnis der Verbindung mit einer der kontinentalen Militärmächte gehabt und die Befriedigung des-
selben, je nach dem Standpunkt der englischen Interessen, bald in Wien, bald in Berlin gesucht, ohne, bei
plötzlichem Übergang von einer Anlehnung an die andere,
wie im Siebenjährigen Kriege, skrupulöse Bedenken
gegen den Vorwurf des Imstichlassens alter
Freunde zu hegen.

Bismarcks „Gedanken und Erinnerungen."

◻

221

Der Neid.

Das ist doch ein unerhörtes Vorgehen der Engländer: sie wollen da ein Kanonenboot die Seine heraufschicken, wie sie sagen, um die dort wohnenden englischen Familien abzuholen, die wegwollten. Sie wollen aber bloß sehen, ob wir Torpedos gelegt haben, und es dann den französischen Schiffen hinterbringen. — Bande! — Die sind voll Ärger und Neid, daß wir hier große Schlachten geschlagen haben — und gewonnen. Sie gönnen es dem kleinen ruppigen Preußen nicht, daß es in die Höhe kommt. Das ist ihnen ein Volk, das bloß da ist, um für sie gegen Bezahlung Krieg zu führen. Das ist so die Ansicht der ganzen englischen Gentry. Die haben uns niemals wohlgewollt und immer nach Kräften geschadet.

Fürst Bismarck, 1870. Aus Busch „Tagebuchblätter".
(Verlag von Fr. Wilh. Grunow, Leipzig)

□

Englische Humanität.

Die Vorstellung, daß Paris, obwohl es befestigt und das stärkste Bollwerk der Gegner war, nicht wie jede andre Festung angegriffen werden dürfe, war aus England auf dem Umwege über Berlin in unser Lager gekommen, mit der Redensart von dem „Mekka der Zivilisation" und andern in dem cant der öffentlichen Meinung in England üblichen und wirksamen Wendungen der Humanitätsgefühle, deren Betäti=

222

gung England von allen andren Mächten er=
wartet, aber seinen eigenen Gegnern nicht
immer zugute kommen läßt.

Bismarcks „Gedanken und Erinnerungen".

□

Minister Grey.

Erst treibt ihn frevle Zuversicht,
Millionen in den Tod zu hetzen.
Dann seufzt er: „Ach, wenn sie nur nicht
Die Kathedrale von Reims verletzen!"

Max Bernstein, München.

□

Die zehn Gebote John Bulls.

1. Ich bin der Herr der Welt, und ich will keinen
andern Herrn haben neben mir.

2. Ich will diesen meinen Namen nicht vergeblich
führen.

3. Mein Eid sei euch heilig, wie auch mir Meineid
heilig ist.

4. Ich will den Mammon ehren und Betrug und
Ränke üben, auf daß es mir wohlergehe auf Erden.

5. Ich will nicht murren über meines Nächsten Lei=
den, und sein Tod hat für mich keinen Schrecken.

6. Ich will meinem Nächsten gerne alles Schlechte
gönnen, solange es mir selbst nicht Schaden bringt.

7. Ich will nicht stehlen; denn alles auf dieser Er=

223

ben ist mein, und was ich mir nehme, gehört mir von Rechts wegen.

8. Ich will Gott ein Schnippchen schlagen. Wie der Gerechte fällt siebenmal am Tage, so will ich fallen hundertmal; denn Gott der Herr hat Mitleid mit dem Sünder und will nicht, daß er sterbe, sondern daß er weiterlebe und sich (vielleicht) bekehre.

9. Ich will begehren zu meinem Bunde alle Völker dieser Erden, alles, was da kreucht und fleucht.

10. Jedem aber, so da nicht für mich, sondern lau ist, den will ich mit Skorpionen züchtigen, und ich will ihn behandeln als Schaf, Rindvieh, Ochs, Esel und alles was sein mag.

Klabberabatsch 1915.

◻

Gut Dampf! (Deutsche Gasangriffe 1915.)

Es soll sich also um Chlordampf handeln; genauere Analyse fehlt, bis sie von den armen Opfern des Schnupfenqualms selber gemacht wird. Soviel wir hören, geschieht gar nichts Lebensgefährliches, sondern nur ein häßlicher Zustand von etwa 4 Stunden. Darüber darf der Betroffene natürlich räsonnieren, aber „barbarisch" ist das viel weniger, als ein ganzes Volk aushungern zu wollen. Die Engländer sind rührende Gesellen: setzen alles daran, uns in den scheußlichsten Tod der Heimatbevölkerung hineinzutreiben, und lamentieren nun über etwas geschwollene Schleimhäute! Und nachdem sie die Londoner Völker-

224

rechtsbeschlüsse nicht unterschrieben haben, verlangen sie, daß wir sie halten sollen. Gut Dampf! Es muß nur erst der rechte Wind dabei sein.

Friedrich Naumann in der „Hilfe".

□

Wer ist der Hunne?
(Aus der Weltkriegszeit.)

□

Macht ist an die Stelle des Rechts getreten. Sollte sich die Zerstörung von Heimstätten und Land= besitz nicht als ausreichend erweisen (als Strafe für Zerstörung von Eisenbahnen und Telegraphenlinien), so müssen ganze Städte zerstört und die Ein= wohner gehenkt werden. Auf alle Fälle aber muß die Unterwerfung des Feindes erreicht werden.

Der englische Oberst Roß
(Zitiert im Londoner „Labour Leader")

□

Das „Made in Germany" gelte fortan als Brand= mal des Viehs. Wer es erblickt, der gedenke der im Krieg Erschlagenen, der ihrer Brüste beraubten, ver= stümmelten Frauen, der vergewaltigten Mädchen, der in Stücke geschnittenen Kinder, unserer braven Soldaten mit ihren zu Brei zermalmten Gesichtern, da sie verwundet

Erwin Rosen, Britenspiegel.   15   **225**

dalagen; der unschuldig ertränkten Opfer der U=Boot=
Piraten.

Es ist unsinnig, Wilde mit Seidenhandschuhen be=
kämpfen zu wollen. Laßt uns ihre Geschäfte zer=
rütten, ihre Fabriken zerstören mitsamt ihrer
heranwachsenden Handelsübermacht; laßt sie uns aus
der menschlichen Gemeinschaft werfen als Geschmeiß
und sie meiden wie Pestilenz!

Wie den Deutschen im Kriege jedes Ver=
brechen alter und neuer Räuberei zuzutrauen
ist, so müssen wir auch uns von ihnen jeder Niedertracht
im Handel versehen. Überall spionieren sie, in unseren
Kontoren und Fabriken, stehlen unsere Gedanken, ahmen
unsere Patente, Verfahren und Maschinen nach und
fälschen unsere Warenzeichen!

Kein Zweifel: nach dem Kriege werden sie auf den
Knien herankommen und uns Ware zu Preisen anbieten,
gegen die kein Schutzzoll hilft. Wieder wird der deutsche
Kellner, dieser geborene bezahlte Aushorcher, und
der deutsche Barbier, der stets ein Spion ist, uns
umgeben. Wir müssen uns wappnen.

Aus einem Aufruf in der „Times" zur Gründung einer antideutschen
Liga.

□

Indiens englische Herren verachten mit Recht alle
ehelichen Verbindungen zwischen Weißen und Hindus;
die Kinder aus solchen Ehen werden wie Maulesel be=
trachtet, oft auch so genannt; sie sind weder Pferd noch

226

Esel, sie sind halfcast. In Kalkutta haben sie ihre eigenen
Viertel und dürfen in keinem anderen Stadtteil wohnen.
Aber — wenn es sich darum handelt, die „deut=
schen Barbaren" niederzuwerfen, dann ist eine
Verbindung mit den bronzefarbenen Völkern
Indiens für den Engländer gut genug.

Sven Hedin,
„Ein Volk in Waffen".

□

Germaniam esse delendam.

Angesehene Zeitschriften, wie die „National Re=
view", die „Saturday Review" und der Spectator haben
es sich seit Jahren zur Aufgabe gemacht, „Germaniam
esse delendam" den Gehirnen ihrer Leser einzuhämmern.
Einige Beispiele sind nicht überflüssig.

„Eine Menge kleiner Streitfragen hat die größte
Kriegsursache aufgebaut, welche die Welt je gesehen hat.
Wäre Deutschland je vernichtet, so würde übermorgen
jeder Engländer reicher sein."

„Hamburg, Bremen, der Kaiser=Wilhelmkanal und
die baltischen Häfen würden unter unseren Kanonen
liegen, bis die Kriegsentschädigung gezahlt wäre. Wäre
unser Werk getan, so könnten wir, das Wort Bismarcks
verändernd, zu Frankreich und Rußland sagen: Sucht
euch Kompensation in Deutschland!"

„Hamburg ist einer der größten Hafenplätze der Welt;
in welch unheimliche Lage würde es geraten, wenn tat=
sächlich nicht ein einziges Schiff ein= oder ausfahren

227

könnte! Blockaden sind ohne Zweifel schwer durchführbare Unternehmungen, aber Hamburg liegt für uns so günstig, daß es sehr leicht vom Weltverkehr abzusperren ist. Man gäbe sich keinen Täuschungen hin: Die Blockade aller deutschen Häfen an der Nord= und Ostsee bietet uns nicht die geringsten Schwierigkeiten."

„Die deutsche Flagge ist überall. Aber bei einer Kriegserklärung müßte sich uns die gesamte Handels=flotte auf Gnade und Ungnade ergeben. Überall auf den Weltmeeren würden unsere Kreuzer die deutschen Kauffahrer abfangen und als Prise wegführen."

„Inzwischen würden von den neutralen Markt=plätzen der deutsche Wettbewerb, über den von unseren Kaufleuten so oft geklagt wird, völlig verschwinden. Wir würden nicht mehr hören, daß Deutschland auf chine=sischem und japanischem Markt vordringe."

„Es würde keiner Macht einfallen zu verhindern, daß Deutschland ein paar hundert Millionen Pfund Strafe zahlen müßte, daß es alle seine Kolonien verlöre, sein politisches Ansehen und alle seine Handelsverbin=dungen einbüßte."

In der National Review hat der frühere Botschafter Englands auf Wien und Österreichs Bundesgenossen=schaft hingewiesen: Der Zusammenbruch des seehandeln=den Norddeutschland sei das einzige Mittel, um Habs=burgs alte Vorherrschaft in Deutschland wieder herzu=stellen.

In den angesehensten Zeitschriften werden Opfer an Rußland in Asien empfohlen, um Deutschland zu isolieren. Ägypten in der Hand, könne man Konstantinopel an Rußland preisgeben. Man schwärmt für eine englisch=französisch=russische Tripelallianz.

Altangesehene Zeitungen, wie die Times und die Daily Mail, neue und zu diesem Zwecke begründete wie Mr. Garvins Observer, machen es sich zur Aufgabe, die öffentliche Meinung ihres Landes gegen Deutschland zu erziehen: Was das Spanien Philipps des Zweiten, das Frankreich Ludwigs des Vier=zehnten und Napoleons war, sei heute Deutsch=land: der Gegner.

Professor Dr. v. Schulze-Gaevernitz,
„England und Deutschland".

□

Die Germanen sind Barbaren, die zerschmettert werden müssen, und an diesem preiswürdigen Unter=nehmen müssen die zivilisierten Völker Serbiens, Mon=tenegros, Senegambiens und Portugals teilnehmen!

England führt den Krieg durch konsequente Fälsch=ung der Wahrheit, die in der englischen Presse so selten ist, wie in der deutschen die Lüge.

Wenn die englische Bildung und Gelehrsamkeit den deutschen Militarismus beschuldigt, zügellose Eroberungs=träume zu pflegen, so muß man fragen, was war denn der Burenkrieg? Vielleicht eine Äußerung derselben humanen Fürsorge für die kleinen Staaten, die jetzt England eine Lanze für Belgiens Selbständigkeit bre=chen läßt?

Sven Hedin, „Ein Volk in Waffen."

□

229

Nach allen guten Meldungen, die in jüngster Zeit von den Kriegsschauplätzen des Weltkriegs kamen, ist's begreiflich, daß Deutschland nach Frieden winselt. Unsere Pflicht ist aber, die Deutschen in den tiefsten Notstand zu treiben. Ein Volk, das aus blinder Zerstörungswut Loewen in einen Aschenhaufen verwandelt, Kinder auf Bajonette gespießt, Pflegerinnen die Hände, anderen Frauen die Brüste abgeschnitten, Verwundeten die Augen ausgestochen, Mädchen geschändet und sich an unbeschreiblicher Unzucht ergötzt hat, muß behandelt werden, wie es solcher Raubmörderbande zukommt.

Die Schandtaten hat der Kaiser befohlen, der jetzt, als er gerade hoffte, im Triumphzug durchs Tor von Paris zu reiten, aus Frankreich hinausgeworfen wurde. Aber das edle Volk stimmt ihm zu und bewundert seine feige Teufelei. Von dem blutdürstigen Professor Harnack, bis in die unterste Schicht der Eisenbahnbeamten jauchzt alles, wenn berichtet wird, daß irgendwo eine wehrlose Mutter erschossen worden ist. Deutschland darf nicht frei atmen, ehe es den Verbündeten die ganze Doktorrechnung bar bezahlt hat. Die Hohenzollern müssen natürlich vom Thron steigen. Mit Stumpf und Stiel muß diese Pflanze ausgejätet werden. Überlebt der Kaiser seine Niederlage, dann mag er auf einer fernen Insel hausen. Nicht etwa auf Sankt Helena! Dieser Name weckt die Erinnerung an einen, der, mit all seinen Fehlern ein Mensch, nicht ein Werwolf war. Man könnte die englische Insel Tristan da Cunha wählen.

230

Dann wäre die Höhe der Entschädigungssumme zu bestimmen. Deutschland muß zahlen, bis der Bankrott vor der Tür steht. Zwanzigtausend Millionen Mark! Von diesem Betrag könnte die Erörterung ausgehen. Das Reich wird in seine Bestandteile aufgelöst und jedem Stamm der Raum gewährt, der ihm ziemt. Krupps Fabriken werden niedergerissen und die deutschen Kriegsschiffe dem Sieger ausgeliefert. Ist der Nordostseekanal internationaler Besitz und Helgoland entfestigt, dann können wir in Berlin den Friedensvertrag diktieren.

Dem Heer und seinem Troß darf nicht erlaubt werden, die Lüge in die Zeitung zu setzen, daß deutsche Truppen als Sieger in Paris, London, Newyork stehen, und daß der König von England neben den Präsidenten Wilson und Poincaré in Potsdam eingesperrt ist. Minister Churchill sprach die Wahrheit: in diesem Kriege endet unser Leben oder das Deutschlands. Sein Wille ist, England und Frankreich zu vernichten. Seine Sehnsucht, auch englische Kinder auf Bajonette zu spießen und englischen Mädchen die Hände abzuhacken.

Wenn solcher Vorsatz ein vielköpfiges starkes Volk beherrscht, ist es so gefährlich wie eines Tigers Angriff gegen einen Menschen. Töte ich nicht den Tiger, so tötet er mich. Ein Vertrag mit Deutschland ist nicht mehr wert, als ein mit dem Tiger abgeschlossener. Deshalb müssen wir warten, im Notfall bis 1919, und so übermächtig werden, daß wir alle Bedingungen vorschreiben und den deutschen Militarismus, die deutsche Bestialität vernichten können. Delenda est Germania! „Financial News."

◻

231

Wir glauben nicht, daß ein Anlaß vorliegt, sich um Antwerpen Sorge zu machen. Ohne Zweifel läuft den Hunnen das Wasser im Munde zusammen, wenn sie die schönen Kirchtürme Antwerpens sehen. Die Stadt bietet der zerstörenden Seite der deutschen „Kultur" unvergleichliche Gelegenheiten. Wir können uns die Vorwände ausdenken, die mit Freuden für die Heldentat erdacht werden dürften, Petroleum in das Plantin=Museum hineinzupumpen. Jedes deutsche Regiment in Belgien scheint eine besondere Maschine zu besitzen, um Gebäude mit Petroleum zu besprengen, und eine Abteilung methodischer Mordbrenner aufzuweisen, die in den spezifischen Künsten der höheren Zivilisation, so wie sie an der Berliner Universität gelehrt werden, geübt sind. Jede deutsche Kolonne scheint auch eine Schar mobilisierter Kinematographenschauspieler mitzuführen, die bei geeigneten Gelegenheiten Zivilisten darstellen, die auf die Soldaten schießen.

Die „Times", London 1914.

□

Den Bewohnern im besetzten Gebiet dürfen nur noch die Augen gelassen werden, um den Krieg zu beweinen. Es muß die Ausgebrannten tägliche und stündliche Anstrengungen kosten, um sich die dürftige Nahrung zum Lebensunterhalt zu beschaffen. Wenn der feindliche Soldat erfährt, daß seine Familie — Weib und Kinder — zu Hause leidet, so wird ihm auf

232

einem Poſten unbehaglich zu Mut, er wird erwägen, welche Pflicht er ſeiner Familie ſchuldet. Und was die Natur ihm da eingeben wird, das läßt ſich wohl unſchwer feſtſtellen.

Der engliſche Militärſchriftſteller Dr. Miller Maguire,
(Zitiert im Londoner „Labour Leader")

□

Ich für meine Perſon bin nie mit dem Ergebnis dieſes Krieges zufrieden, wenn nicht Kaiſer Wilhelms Leben verwirkt, oder wenn er nicht für Lebens= zeit nach St. Helena oder einer noch einſameren Inſel verbannt wird. Meine Hoffnung iſt, daß man kurzen Prozeß mit ihm macht, damit die militäriſchen Ideale Preußens und die deutſche Barbarei für immer ein Ende finden, und damit unſeren Herrſchern die Auf= gabe abgenommen wird, die Art ſeiner Beſtrafung feſt= zuſetzen. Wenn das nicht geſchehen kann, muß die Zivi= liſation aller Völker ſeine lebenslängliche Verbannung verlangen, und zwar unter der Verſchärfung, daß ihm jeder Luxus verſagt wird.

„Daily Chronicle", London 1915.

□

Tagesbefehl.

Oc. B. Co., II. Bataillon Royal Scotch Fusiliers.

Da viele Fälle vorgekommen ſind, in denen von britiſchen Truppen beſetzte Häuſer geplündert worden ſind, und viel Schaden angerichtet worden iſt, muß daran

233

erinnert werden, daß unsere Truppen augenblicklich
in dem Lande unserer Verbündeten operieren.

□

Ja, wir verabscheuen die Deutschen, und
das von ganzem Herzen! Sie machen sich in
Europa verhaßt. Ich würde nicht zulassen, daß
heute jemand etwas in meiner Zeitung ver=
öffentlichte, wodurch sich Frankreich im gering=
sten verletzt fühlen könnte. Anderseits sähe
ich es nicht gern, wenn sie einen Beitrag brächte,
der Deutschland gefallen könnte.

Lord Northcliffe, der Zeitungskönig, im Jahre 1903.

□

Lord Kitchener.

Der englische Kriegsminister Lord Kitchener
wagte in seiner Rede im Oberhause am 27. April 1915,
die Ehre des deutschen Heeres durch den Vorwurf
unmenschlicher Grausamkeit gegen wehrlose Ge=
fangene anzutasten. Die Person des Anklägers
und die Schwere seiner Beschuldigungen recht=
fertigen es, wenn wir über diese Verleum=
dungen nicht mit der wortlosen Verachtung
hinweggehen, die sie an sich verdienten; denn
von einem Manne, der mit den Nachtseiten der
englischen Kriegführung aus so reicher eigener
Erfahrung vertraut ist, wie Lord Kitchener, setzt

234

alle Welt voraus, daß nur die sichere Kenntnis ganz uner=
hörter Schändlichkeiten ihm ein Verdammungsurteil über
andere in den Mund legen könnte. Die hauptsächlichste
Stütze der von Lord Kitchener erhobenen Anklagen bildet
aber offenbar der Bericht des aus deutscher Kriegsgefangen=
schaft entflohenen englischen Majors Vandeleur. Be=
zeichnend für die Glaubwürdigkeit dieser, auch der deut=
schen Regierung bekannten Aufzeichnungen ist die Tat=
sache, daß ihr Verfasser bei seinen eigenen Kameraden
nicht mehr für geistig normal gilt, seitdem der Krieg auf
seine Nerven eingewirkt hat. Lord Kitchener sagt unseren
Truppen nach, daß sie ihre englischen Gefangenen in vielen
Fällen mißhandelt, manche von ihnen sogar kalten
Blutes erschossen hätten. Selbst vor verwundeten
Offizieren habe ihre Roheit nicht haltgemacht. In den
Gefangenenlagern werde die grausame Behandlung durch
Hunger und andere Quälereien fortgesetzt. Deutschland
habe große kriegerische Fähigkeiten und großen Mut
bewiesen, jedoch seine Soldatenehre durch Handlungen
befleckt, die mit der barbarischen Wildheit der Der=
wische wetteifern könnten.

Wer deutsches Wesen wirklich kennt und sich ein Urteil
darüber nicht nur aus Schmähschriften gebildet hat, der
wird — wes Stammes er auch sei — mit Entrüstung diese
unverantwortliche Herabwürdigung eines Heeres zu=
rückweisen, dessen straffe Manneszucht sich in vielen ruhm=
reichen Kriegen bewährte und von Fernstehenden oft
genug als übermäßig scharf kritisiert wurde. Es zeugt
von einer selbst für englische Verhältnisse ungewöhnlichen

235

Anmaßung, wenn ein solches Heer von einem Gegner angegriffen wird, unter dessen Befehl die herzlosen Peiniger jenes deutschen Kriegsfreiwilligen Calliß stehen, von dem ein englischer Fliegeroffizier im Oktober 1914 gemeinsam mit mehreren Soldaten durch rohe Mißhandlungen Verrat an unseren Truppen zu erpressen suchte. Von einer Verurteilung dieser elenden Handlungsweise hat man bisher aus dem englischen Lager noch nichts gehört. Wir werden demzufolge wohl auch vergebens auf eine Sühne für die schmachvolle und grausame Behandlung warten, die gefangene deutsche Soldaten im März nach den Kämpfen um Neuve Chapelle erdulden mußten. Unter Leitung und Aufsicht der Engländer haben indische Truppen diese Gefangenen ausgeraubt und mißhandelt. Wir können leider nur allzuviel ähnliche Fälle englischer Grausamkeit durch eidliche Aussagen belegen, darunter die unmenschliche Behandlung unserer in den deutschen und englischen Kolonien gefangenen Volksgenossen.

Was Lord Kitchener über die deutschen Gefangenenlager behauptet, wird durch die Aussagen vieler neutraler Zeugen widerlegt. Unter ihnen erklärte der amerikanische Botschafter in Berlin erst vor kurzem, daß die gefangenen Engländer nach seiner eigenen Feststellung in völlig angemessener Weise behandelt würden. Wir glauben nicht, daß im Gegensatz dazu gerade Kitchener das Recht hat, haltlose Anklagen zu erheben; doch ist sein Name für alle Zeiten mit jenen berüchtigten Konzentrationslagern verknüpft, in denen während des Burenkrieges so viele un-

236

glückliche Frauen und Kinder elend verschmachten
mußten. Die Behauptung, daß unsere Truppen wehr=
lose Gefangene mutwillig erschossen haben, überrascht
uns aus dem Munde Kitcheners nicht. Die englische Hee=
resleitung hält ja ihre Truppen mit Vorbedacht schon
lange in dem Wahne, daß ihnen im Falle der Gefangen=
schaft der Tod oder sonst ein grausames Schicksal drohe.
Die Gründe dafür liegen klar zutage, so daß wir sie nicht
einmal anzudeuten brauchen. Wenn Kitchener sich endlich
zur Begründung weiterer Anklagen gegen unsere Krieg=
führung auf internationale Abmachungen beruft, so sei
ihm entgegenzuhalten, daß die Geschichte keines
Volkes der Welt an Beispielen für kaltherzige
und treulose Mißachtung solcher Vereinba=
rungen so reich wie die des englischen ist. Wer
seine Truppen von Amtswegen mit einer Munition ver=
sieht, die so grausame Wunden reißt, wie die englischen
Infanteriegeschosse, Marke VII, der sollte jeder Erör=
terung über das Haager Abkommen vom 18. Oktober 1907
soweit wie möglich aus dem Wege gehen. Wer gegen ein
europäisches Kulturvolk farbige Barbaren jeder Art und
Herkunft ins Feld führt und ihrer Raub= und Blutgier
freien Lauf läßt, tut nicht wohl daran, an die Wildheit
jener Derwische zu erinnern, in deren Geschichte der
blutige Tag von Omdurman doch wahrscheinlich
nicht von englischer Milde zeugt. Wer endlich ein blühen=
des Volk wie das deutsche mit samt seinen Frauen und
schuldlosen Kindern auszuhungern sucht, weil er sich zu
schwach fühlt, es im ehrlichen Kampf durch Waffengewalt

237

zu bezwingen, der sollte mit dem Appell an die fremde
Menschlichkeit die denkbar größte Zurückhaltung üben.
Denn es ist nicht sein, sondern unser Verdienst, wenn
wir dieser Kampfesweise lachend spotten und für alle
Zukunft die befleckte englische Ehre wenigstens vor dem
Makel schützen, daß der Plan zur Tat wird, dessen Schänd=
lichkeit durch die Ohnmacht seiner Urheber nicht gemildert
werden kann. Wenn Kitchener uns daher seine fernere
Achtung entziehen will, weil unser Verhalten im Kriege
sich nicht mit seinen Begriffen von Soldatenehre deckt,
so werden wir das mit dem stolzen Bewußtsein
zu tragen wissen, daß wir durch diese reinliche
Scheidung zwischen uns und ihm in der Achtung
vor uns selbst nur steigen können.

Norddeutsche Allgemeine Zeitung.

□

Welchem Ziele aber strebt der deutsche Gedanke zu?
Will er im Paradeschritt durch eine Reihe von seinen
Philosophen eingerichteter Höllen marschieren und sich
selbst anbeten, weil seine Anschirrung so lauten Lärm
macht? Die Araber ließen wenigstens die Wahl zwischen
Islam und Säbel. Der „Boche" kennt nur noch
die Philosophie des Säbels. Wie Sie ganz richtig
sagen, handelt es sich um einen tollwütigen Hund.
Nur auf den Tod des armen Tieres kann man
hoffen. Dieser Tod wird, wenn ich nicht irre, manch=
mal durch jähen Blutandrang ins Hirn bewirkt.

Rudyard Kipling an einen Franzosen.

238

Englische Werbeaufrufe.

„Nach Berlin. Eine Jagdpartie wird von der Regierung für Berlin umgehend geplant. Gewehre werden frei geliefert, außerdem freie Ausrüstung, freie Beförderung, freie Hotels und freie Rückreise. Ferner eine freie Vergnügungsfahrt auf dem Rhein, da nur für eine beschränkte Anzahl, nämlich eine Million vorgesehen, rät es sich, seine Anmeldung sofort zu machen. Guter Sport garantiert."

□

„20. Bataillon. Das Londoner Regiment. Rekruten werden gesucht für dieses Bataillon. Unterstützen Sie Ihr Londoner Bataillon, indem Sie entweder selbst eintreten oder andere dafür gewinnen.

Indem Sie in dieses schöne Bataillon eintreten, dienen Sie nicht nur Ihrem König und Ihrem Vaterland, sondern Sie werden auch kostenlos die folgenden Vorteile erlangen:

1. Sie erhalten eine schmucke Uniform.

2. Sie erhalten 14 Tage Urlaub. Während dieser Zeit erhalten Sie mindestens 1 Schilling extra pro Tag. Außerdem erhalten Sie eine Entschädigung für Stiefel; im Feldlager erhalten Sie 14 Tage lang eine Extra-Vergütung für Ihre Frau und Ihre Kinder.

3. Sie werden einen Klub haben. — Das Hauptquartier ist eines der besten von London und ent-

239

hält: eine große Exerzierhalle und Exerzierplatz, Bil=
lardzimmer, Erfrischungsräume, Schießstände
im verkleinerten Maßstabe, eine Kantine, usw. usw. —

Alles das steht Ihnen zur Verfügung,
sobald Sie eintreten.

4. Sie haben Anrecht auf kostenloses
Schießen auf dem Milton=Schießstand und im Haupt=
quartier (viele wertvolle Pokale und Geld=
preise!), auf Fußballspiel, Boxen, Schlagball,
Sportvergnügungen im Feldlager (mit vielen
wertvollen Preisen!) und freie ärztliche Be=
handlung.

5. Es steht Ihnen, wenn angängig, vollstän=
dig frei, in die Späher=, Maxim=Gewehr=, Signal=,
Transport= oder Sanitäts=Abteilung einzutreten.

Das Bataillon hat eine hervorragende Ka=
pelle. Auch hier können Sie eintreten, wenn Sie ein
Instrument spielen können. Die Mitglieder der Kapelle
beziehen Extra=Löhnung.

Wenn Sie einzutreten gedenken, so haben Sie weiter
nichts zu tun, als im Hauptquartier zwischen 8 und 10 Uhr
abends, Montags, Dienstags, Mittwochs, Donnerstags
oder Freitags vorzusprechen; Sie können dann auch gleich
das Hauptquartier sehen und sich dort die Bedingungen
des Dienstes erklären lassen. Je eher Sie eintreten, desto
mehr Zeit werden Sie haben, sich für das Feldlager des
kommenden Jahres einzuexerzieren.

Den König segne Gott!"

□

240

Das Symptom.

Wir wissen wohl, welche Märchen die Engländer über uns verbreiteten, seitdem der Krieg begonnen hat. Hat nicht Shakespeare gesagt: „Der meine Börse stiehlt, stiehlt vielleicht wertloses Zeug. Es gehörte mir, jetzt gehört es ihm. Aber wer mir meinen guten Namen raubt, stiehlt mir etwas, was ihn nicht reicher macht, mich aber bettelarm." Indem wir die Masse dieser englischen Gentlemen für die Verbreitung dieser Verleumdungen verantwortlich machen, fühlen wir, daß dieses Gehaben ein Symptom der den Engländern innewohnenden Brutalität ist, eine Brutalität, die es uns unmöglich erscheinen läßt, sie in intellektueller und moralischer Beziehung als gleichwertig mit uns zu betrachten.

Der deutsche Reichskanzler Bethmann-Hollweg
in einer Unterredung.

□

Sir John Falstaff Plumpudding an seine Geschäfts= freunde François Grandebouche and Wladimir Lausikoff.

Meine liebe Handlanger,

God save the business! Gott schutze das ehrsame Intriguantenhandwuerk!

Oder wuie es heißt in unsere neue Nationalsong: „Money, money über alles!"

Kämpft Ihr nur wueiter tapfer, dann wuird nicht bleiben aus der Lohn für mich! Das Krieg bald wuird nehmen eine entscheidende Wuendung, denn täglich wuir make neue Erfindungen; teils in die „Times", teils in die „Daily Mail".

Glaubt nur fleißig, wuas wuir schreiben in unsere Blätters and bestechen in fremde Blätters, damit sich bald is erfüllend das Wuort von Eure king Heinrich IV: „Es soll haben jeder Franzose seinen Vogel im Kopf!"

Wuir sind haben gemacht eine furchterliche Angriff gegen die deutsche Kustenprovinz Cuxhaven: wuir sein hingezogen kurzerhand, and wuir sein heimgekehrt langernaf'!

Wuir haben zerstört dort das halbe Stadt, and zwuar so heimlich, daß die Deutschen haben bemerkt garnix!

Ganz Germany zittert. Vor Freude über diese Genie= streich.

Auch die gemeine Barbaren sich haben genähert die englische Küste und haben verletzt das Rest von die Vol=

kerrecht, wuelches wuir gelaffen übrig, indem fie nicht geflogen find unterwuegs in das Luft.

Mit das Volkerrecht es fein eine ganz einfache Sache: außer England haben die Volker überhaupt kein Recht.

And wuas haben gemakt die Germans an unfere Küfte? Sie haben befchießt Hartlepool and Scarborough. Es is mit diefe Städte wuie mit alle übrigen: folange wuir find fchießend daraus, es fein Festungen, — fobald aber das German is fchießend darauf, es fein offene Städte.

No, man darf nicht verbomben uns, wuir halten Alles offen — bloß nicht das Portemonnaie.

Unfere Linienfchiff „Formidable" hat fich gezeigt very herablaffend — bis unter das Wafferfpiegel. Das is fchadend nothing, wueil es is eine ganz wuertlofe Schiff — wuie alle Schiffe, die auf das Meeresground liegen.

Deshalb aber bleiben doch die englifchen men die Herren von das Salzwuaffer, and die ladies die Herrin- nen von das gebrannte Wuaffer!

Mit unfere Flotte es fein das fo eine Sache: früher wuir haben genannt unfere Schlachtfchiffe „Invincible", — jetzt wuir fie wuürden nennen richtiger „invisible".

Aber trotzdem wuir haben gewuonnen noch alle Seegefechte mit die neutralen Handelsfchiffe, and eine amerikanifche Schiff kann fein noch fo fchrecklich unbe- waffnet, wuir es doch anhalten furchtlos! Leider das Geduld von die amerikanifche Präfident mister Wilson wuar nicht fo lang wuie unfere Finger und er hat geprotestiert, fo daß wuir muffen aufgeben diefe kleine

243

Nebenverdienst. Wuir nehmen die Prise, and er is verschnupft.

Getreu die englische Geschichte wuir haben jetzt gesandt eine Botschafter bei die Vatikan, denn wuenn wuir auch haben verfolgt die Katholiken sehr blutig, so doch Niemand wuird bestreiten, daß von allen Heiligen hat hervorgebracht England die sonderbarsten Heiligen.

And wuir befolgen alle Geboten and stehlen nie unseres Nächsten Kuh and Hausfrau, sondern höchstens seine Land and seine Kolonien.

In Egypten mister Hussein Kamel ist erhöht wuorden um einen Höcker, indem er is gewuorden gemacht aus dem Khediven zum Sultan von Egypten. Vielleicht er jetzt wuird annehmen den Titel Hussein Dromedar.

Wueil in die Neujahrsnacht wuird getrieben mancherlei Unfug, so wuir haben published eine Buch zu Gunsten Belgiens unter das Titel „König Alberts Buch". Es haben hineingemacht ihre Beiträge die berüchtigsten Männer und Frauen, zum Beigespiel die Ellen Key hat bewueist mit ihre Geschreibsel, daß sie noch lebt im „Jahrhundert des Kindes" —, mister Fridjof Nansen hat aufgebunden eine Eisbär, — Andrew Carnegie zeigt, daß er nicht nur is ein Stahlkönig, sondern auch eine Blechfabrikant, — and das Ex=Präsident Taft wueist nach, daß es wuirklich mit ihm er ist! Es ist eine ergreifende Buch, denn man muß wuirklich bedauern die Belgier — schon, wueil sie sind verbündet mit uns.

Nach Germany wuir nicht thun hereinlassen dieses

244

Buch, wueil sie es nur tháten übersetzen zum Fasching,
und wueil überhaupt die deutsche Sprache is eine miserable
Sprache. Zum Beigespiel sie is habend drei Artikels
„der", „die", „das", wuáhrend wuir nur haben eine sách=
liche Artikel „the". So im Englischen the money das
Geld, is sáchlich, — alles Andere is nebensáchlich!

In die klägliche deutsche Barbarensprache es daher
niemals hat geben gekönnt eine wuirkliche Dichter, and
Professor Clifford Albutt aus Cambridge hat Recht, wuenn
er nachwueist gerade jetzt in die „Times", daß mister
Goethe nur wuar eine Nachahmer von Byron. Er is
schreibend: „Goethes ganzes Streben ging auf eigenes
Wachstum und Selbstverherrlichung — er war gleichsam,
im Kleinen, was heute Deutschland im Großen ist."

Habe ich es nicht gesagen schon always, schon immer,
daß diesem mister Goethe (er hieß, wuenn ich nicht irre,
Kasimir mit das Vornamen?) fehlte die schlichte Selbst=
losigkeit eines Grey, das spröde Tugend eines Eduard VII.,
das Dum=Dum=gestärkte Nächstenliebe eines Kitchener,
und die stille Versunkenheit eines „Formidable"?

Goethe kann geduldet wuerden in keinem englischen
Haushalt mehr, sein Ende steht bevor: sämtliche englische
Tanz=Girls sich haben verpflichtet, nie mehr zu tanzen
etwuas von Goethe!

Mögen die deutschen Barbaren ruhig versuchen, zu
plagiieren alle englischen Dichter, Denker, Stänker and
Whiskeyfabrikanten, — die „Times" und den Professor
Clifford Albutt sie nie wuerden können nachmachen.

In London die Stimmung is allright. Lord Kit=

chener noch immer zieht herum auf die Footballplätze and singt: „Wuer wuill unter die Soldaten?" — aber Niemand singt mit.

Ich kuſſe Dich, meine liebe Grandebouche, and ich verſpreche Dich, wuenn es wuird ſein ſo wueit, mit Dich wuie mit Belgien, auch herauszugeben eine „Poincaré's Buch", zu wuelchem ſchon jetzt verſucht das Papier zu kapern.

Dein

Sir John Falſtaff Plumpudding

(Kultur en gros & en detail).

Kannſt Du mich nicht verſchaffen eine Fahrplan von die damned Zeppelins? Wuorin wuir können nachſehen die Ankunft?

□

246

Die englische Lüge

□ □ □

Der achte Feind.

Von Ludwig Fulda.

Daß ihr zu siebent uns umstellt,
Zu siebent uns bekämpft im Feld,
Das tut euch nicht Genüge;
Ihr ruft zum Bund noch eine Macht
Als Nummer acht:
Die Lüge.

Ihr fandet unser Recht zu klar,
Zu fleckenlos den deutschen Aar,
Zu sieghaft seine Flüge:
Drum schießt als euer letzter Schutz
Nach ihm mit Schmutz
Die Lüge.

Derweil dem Feind nach Kriegerpflicht
Wir furchtlos blicken ins Gesicht,
Wie wild er sich auch schlüge,
Liegt schlangenhaft zum Knäul geballt
Im Hinterhalt.
Die Lüge.

249

Sie stellt sich nicht im offnen Streit,
Sie lästert, geifert, spritzt und speit,
Kennt hundert Winkelzüge;
Durch Land um Land und Trift um Trift
Verstreut sie Gift,
Die Lüge.

Und wo mit fremder Völker Art
Die deutsche jüngst noch schien gepaart
Zu dauerndem Gefüge,
Da wandelt Zutraun und Verlaß
In blindem Haß
Die Lüge.

Dem Haupte, das man ihr zerbrach,
Ihm wachsen zwanzig andre nach,
Und Millionen Krüge
Erschöpfen nicht das Meer von Kot,
Mit dem uns droht
Die Lüge.

Und dennoch — ob ihr Höllengeist
Auch noch so schamvergessen dreist
Die ganze Welt betrüge,
Wir fordern, trotzend ihrer Macht,
Heraus zur Schlacht
Die Lüge.

Schon ziehn auf blutgetränkter Flur
Des Feindes ihre tiefe Spur

250

Die blanken deutschen Pflüge;
Dort werden wir die Zukunft sä'n
Und niedermäh'n
Die Lüge.

◻

Der Engländer und die Wahrheit . . .

□

Kein Engländer wagt mehr die Wahrheit
zu glauben. Seit 200 Jahren ist er eingehüllt
in Lügen jeder Art. Er hält die Wahrheit für
gefährlich, und man sieht ihn überall bemüht,
dieselbe dadurch zu mildern, daß er eine Lüge
mitgehen heißt und beide zusammenspannt.
Das nennt er den sicheren Mittelweg.

Carlyle.

□

Ein unentbehrliches Hilfsmittel.

Die Engländer lassen nicht von der Gewohnheit,
Nachrichten zu erfinden, sie zu Hause zu verbreiten und
nachher in ganz Europa in Umlauf zu setzen. Sie hängen
zu sehr an diesem Hilfsmittel, als daß sie es
nicht unaufhörlich gebrauchen sollten. Zwar
dementieren sie eine falsche Nachricht acht oder zehn Tage
nach ihrer Veröffentlichung; aber diese acht oder zehn
Tage sind verstrichen, die Täuschung hat bestanden, und die
Gelegenheit bietet sich, eine neue Täuschung in die Welt
zu setzen, die sie sogar mit ganz offiziellen Dokumenten
glaubhaft machen; und so immer weiter Monat für Mo=
nat, Woche für Woche das ganze Jahr hindurch.

Napoleon I.

□

252

Die erschreckende Abnahme der Wahrheitsliebe.

Die Versuchung nach ungeheurer Macht auf Grund von ungemessenen Schätzen ist zu stark gewesen; im Adel und den ihm verwandten Kreisen wußte man bald nicht mehr zwischen Recht und Unrecht zu unterscheiden. Derselbe Mann, der im Privatleben nie von dem skrupulösesten Anstand abgewichen wäre, beging im vermeintlichen Interesse seines Vaterlandes jedes Verbrechen. Die Propheten unter uns — ein Burke, ein Carlyle, ein Ruskin — haben schon seit 100 Jahren und mehr auf die erschreckende Abnahme der Wahrheitsliebe — einst in England so einzig heilig gehalten! — aufmerksam gemacht.

Houston Stewart Chamberlain, Kriegsaufsätze.

◻

Ehrlichkeit ist nicht die beste Politik.

Wir wirtschaften immer noch mit den Phrasen, daß Ehrlichkeit die beste Politik ist und daß die Überzahl schließlich doch gewinnt. Diese hübschen kleinen Sätze eignen sich ganz gut für ein Schulbuch; aber der Mann, der danach im Kriege handeln wollte, sollte lieber für immer sein Schwert in die Scheide stecken.

Feldmarschall Lord Wolseley,
in seinem „Taschenbuch für Soldaten"

◻

253

Hekatomben von Lügen im Weltkrieg.

Ich möchte den neutralen Staaten raten, kritisch und verständig den Mitteilungen über den Gang des Krieges zu folgen. Noch niemals hat die Welt, solche Hekatomben von Lügen gesehen, wie in diesem Kriege. Es ist Deutschland, das man zum Ziel der Verleumbung und zum Opfer eines systematisch geordneten Lügenbetriebes macht.

Sven Hedin im Aftonbladet, Stockholm.

□

Die ehrbare Lüge ...

Sie regieren Narren mit Narrheit.

Vorher haben die Minister frech, aufgeblasen, boshaft gelogen, jetzt lügen sie milde, zutraulich, ehrbar, eine Lüge, die allgemeine Zustimmung atmet und nur das angenehme Gefühl eines winzigen Kostpröbchens hervorbringt.

Bernhard Shaw in seinem Nachrufe für Keir Hardie.

□

Politische Lügen.

Lord Palmerston hat freilich am 4. April 1856 im Unterhause mit einer von der Masse der Mitglieder wahrscheinlich nicht verstandenen Ironie gesagt, die Auswahl der dem Parlamente vorzulegenden Schriftstücke über Kars habe große Sorgfalt und Aufmerksamkeit von

254

Perſonen, die nicht eine untergeordnete, ſondern eine hohe Stellung im Auswärtigen einnähmen, erfordert. Das Blaubuch über Kars, die kaſtrierten Depeſchen von Sir Alexander Burnes aus Afghaniſtan und die Mit= teilungen der Miniſter über die Entſtehung der Note, welche die Wiener Konferenz 1854 dem Sultan anſtatt der Mentſchikowſchen zur Unterzeichnung empfahl, ſind Proben von der Leichtigkeit, mit welcher Par= lament und Preſſe in England getäuſcht werden können.

Bismarcks „Gedanken und Erinnerungen".

◻

„The great liar".

„Unbeſchränkte und unbedingte Hilfe" hatte Sir Edward Grey den Serben verheißen — jetzt ſteht das ſerbiſche Heer vor der Kataſtrophe, und den Sterbenden ruft Englands Staatsmann zu: „Wir haben euch über= haupt nichts verſprochen!" Man nannte einmal Gladſtone „the great liar", den großen Lügner, — er hat einen Erben gefunden.

Leipziger Neueſte Nachrichten.

◻

„Amtlich . . .!"

Tatſache iſt, daß jeder politiſche Agent Englands ſich erlauben darf, über denſelben Gegenſtand zwei Berichte zu machen: einen öffentlichen falſchen, der

255

für das Archiv des Ministeriums bestimmt ist, und einen
vertraulichen, der Wahrheit entsprechenden, der nur zur
persönlichen Kenntnis der Minister gelangt. Wenn dann
deren Verantwortlichkeit in Frage kommt, berufen sie sich
auf den ersten, der zwar falsch ist, sie aber deckt. So
können selbst die besten Einrichtungen zum Fluch werden,
wenn sie auf keiner moralischen Grundlage beruhen, und
wenn die Männer, die sie benutzen, sich nur von Selbst=
sucht, Hochmut und Frechheit leiten lassen. Die absolute
Gewalt hat es nicht nötig zu lügen; sie schweigt! Die ver=
antwortliche Regierung dagegen versteckt sich
hinter unverschämten Lügen, wenn sie ge=
zwungen wird, den Mund aufzutun.

Napoleon I.
Aus „Napoleons Leben. Von Ihm Selbst".

□

Das Volk der halben Wahrheiten und ganzen Lügen.

Es steht leider fest, fürchte ich, daß in England mehr
als in einem andern Lande das öffentliche und das häus=
liche Leben, Staat, Religion und alles, was wir tun und
sprechen (und sogar das meiste von dem, was wir denken)
ein Gewebe von halben Wahrheiten und ganzen Lügen
ist, von Heucheleien, leeren Formen und abgetragenen,
zerlumpten, spinnwebendünnen Überlieferungen. Kein
ehrliches Menschengeschlecht aus Adams Nachkommen=
schaft ist jemals zuvor in ein derart zerschlissenes Bettler=
gewand von Verlogenheit gekleidet gewesen. Und wir

256

schreiten darin stolz und hoheitsvoll einher, als wäre es
ein Priesterrock oder Königsmantel und nicht der schmutzigste
Vagabundenkittel, den man jemals sah. Ein Engländer
darf nicht an Wahrheit glauben (die Pest der Wahrheit!),
so ist die allgemeine Meinung. Er steht seit zweihundert
Jahren inmitten von Lügen aller Art. Vom Fuß bis
zum Scheitel umgibt ihn althergebrachte Scheinheiligkeit
wie ein Ozean. Er ist tatsächlich der Überzeugung, daß,
Wahrheit gefährlich sei. Armer Tropf! Immer und
überall sieht man, wie er versucht, die Wahrheit durch
eine Zutat von Falschheit abzuschwächen und beide mit-
einander zu verschmelzen. Das nennt er dann Vorsicht,
Mäßigung oder sonstwie noch. So zwischen Gott und
dem Teufel hin- und herschwankend glaubt er, zwei Herren
zugleich dienen zu können und daß ihm alle Dinge zum
Besten gedeihen müssen.

Thomas Carlyle, Vorträge.

□

Zeitung und Kabel.

□

Das Märchen vom Lügengeist.

Aus dem noch nicht veröffentlichten Kriegswerke
Erwin Rosens.

Die Leistung war vorzüglich.

Das Gift, das ganze Erdteile und ihre Völker verfeuchte, wurde von einigen wenigen Männern gemischt. Diese Männer wohnten in der großen Stadt London. In der Stadt, aus der durch Jahrhunderte hindurch die schönen und verehrungswürdigen Begriffe vom gentleman und vom fair play in die Welt hinaustrompetet worden waren. So nahmen diese Männer ein Quentchen Wahrheit, ein Pfund Lüge, ein Doppelpfund Verleumdung, einen Zentner Haß, und eine Tonne Scheinheiligkeit, rührten fleißig um in dem Gebräu, damit die einzelnen Bestandteile sich auch wohl vermischten und nicht mehr erkennbar waren, und gossen als Bindemittel dazu viele Flaschen von heiliger Überzeugung, die sehr gut nachgemacht war und wirklich nur noch ein ganz klein wenig nach Whisky schmeckte. Die Rohstoffe zu dem Gemisch wurden zum Teil aus Paris bezogen. Auch aus Belgien kam sehr brauchbare Ware. Aber die eigentliche Arbeit mußte doch im Londoner Laboratorium geleistet werden; in der langgestreckten schmalen Straße im Herzen Londons, deren ragende Riesenhäuser auch am sonnigsten Tag dem Lichtschein den Eingang verwehren. An ihren Häusern und auf den Dächern ihrer Häuser sind große Schilder. Daily Mail sagen die blanken Buchstaben, Daily Chronicle, Times, ein wenig weiter unten, Central Preß Bureau, und glitzernd, alles überschreiend:

Reuter!

Aber das kommt aus einem Nebensträßchen, denn wahre Größe ist bescheiden.

Dort, in der Zeitungsstraße, wurde das Gift bereitet. Dort war der Höllenkessel, in dem es Tag und

258

Nacht kochte und brodelte. Giftiges Gebräu war es, aus
Heimtücke, Papier, und Druckerschwärze, das schleimig
emporquoll und zu heißem Brodem wurde.

Der erfüllte die Luft.

Er kletterte an den Häusern empor, erklomm hölzerne
Stangen, drückte sich an porzellanen Kapseln vorbei,
umschmeichelte in Schwaden glitzernden Kupferdraht und
quoll wonnig seinem Herzensschatz entgegen, dem elek=
trischen Funken. Denn die beiden hatten sich lieb. Sie
umarmten sich, das Gift und der Funke, und verschmolzen
zum Telegramm, das im rasenden Hochzeitstaumel über
die Dächer der Riesenstadt huschte zu dem Gebäude, wo
Drähte münden und Telegramme sich sammeln. Dort
ruhte es ein wenig aus. Um bald wieder über Dächer zu
huschen, lange Strecken zu durchblitzen, und mit Geklopfe
und Gehämmere in einem Häuschen am irischen Meeres=
strand zu landen. Ein Ausruhen abermals. Denn nun
kam der lange Weg, sechsundzwanzig Sekunden, von
Erdhälfte zu Erdhälfte. Das Telegramm stürzte sich in
den grauen Strang hinein, den König aller Telegraphen=
drähte, das Kabel. Die kupferige Seele in der zwanzig=
fachen Umhüllung von Gummi und Stahldrahtpanzer
und mehr Gummi und noch mehr Stahldrahtpanzer
nahm es auf. Es wurde in die Meerestiefen geworfen.
Von Abgrund zu Abgrund geschleudert. Über Welten=
längen gejagt. Schwach vor Erschöpfung nach der blitz=
sausenden Fahrt kam es endlich nach den langen Se=
kunden, die so viel von seiner Kraft verzehrt hatten, zu
einem anderen einsamen Häuschen, am Strande von

259

Long Island, nicht weit von Newyork. Dort mußte es aus dem Panzerkabel herauskriechen und troß aller Mü= digkeit, denn es war nur noch ein ganz kleines Fünkchen durch allerlei Spiralen von dünnen Kupferdrähten und verschiedene sonderbare Maschinchen laufen, bis es zu dem zitternden Stückchen Glas kam, das durch die Meere hindurch die Sprache der Menschen hörte. Ein winziger Glasstift war es, der Ausläufer einer vielfach gewundenen Rolle von dünnstem Kupferdraht, so empfindlich, so fein= hörig, daß es auch das schwächste Fünkchen auffangen konnte. Über dem feinen Glasstift war ein Farbbehälter, der ihm aus dünnem Röhrchen fortwährend blauen Farb= stoff zuführte. Unter ihm lag ein Streifen weißen Pa= piers, den eine kleine Maschine in ständigem Lauf von links nach rechts bewegte. Auf dieses Papier schrieb der zitternde Stift Tag und Nacht und Nacht und Tag eine zitternde wagerechte Linie. Wenn das sprechende Fünk= chen kam, zuckte der Stift zusammen. Seine Schriftlinie senkte sich nach unten. Das waren die kurzen Zeichen. Sie hob sich nach oben. Das waren die langen Zeichen. Und ein müder Mann, der niemals länger als drei Stun= den hintereinander arbeiten konnte, entzifferte mit einem unsäglichen Aufwand an treuer Hingabe das unheimliche Gewirre. Das Telegramm aus der Lügenstraße war zu neuem Leben erweckt. Die Kraft war ihm geschenkt, sein Gift wirken zu lassen, mit seinem Hauch Ehre zu schänden, die Wahrheit zu töten.

Es ging hinüber in den Nebenraum zu dem alt= bekannten Geklopfe und Gehämmere. Und wieder über

Dächer einer Riesenstadt. Und wieder über weite Land=
strecken. Und hinein in das sausende Ungetüm, das un=
endliche Strecken von weißem Papier mit schwarzen Zei=
chen bedeckte. Nun war es tot, das Hochzeitspaar von
Gift und Funke. Sein Grab war die Zeitung. Doch es
lebte weiter nach dem Tode, und vergiftete, und fraß sich
in Hirn und Herzen von Menschen ...

Und es hatte Brüder und Schwestern. Wo Tele=
graphendrähte sich über die Erde streckten, wo Draht=
kabel sich durch die Meere wühlten, wo knatternde Sprech=
funken durch die Lüfte zischten, da war es, das Lügen=
telegramm. Überall in der Welt. In allen Ländern. Bei
allen Völkern.

Die Leistung war ganz vorzüglich.

So spritzte das Gift.

Wir sahen's mit großem Erstaunen und faßten uns
verwirrt an die Köpfe. Denn entweder waren wir über
Nacht plötzlich zu Narren geworden, die gut und böse
nicht mehr unterscheiden konnten, oder die Welt war ein
Tollhaus ...

□

Die Lüge.

Da Englands Kabel noch intakt sind, ist es
nach wie vor imstande, seinen Hauptausfuhr=
artikel über die ganze Welt zu versenden.

Simplicissimus.

□

Der Strohhalm der Lüge.

England offenbart der Welt seine Schwäche. Es zerschneidet das deutsche Kabel nach Übersee, weil es den Sieg der Wahrheit fürchtet. Es beeinflußt die öffentliche Meinung der Welt, weil es die Diskussion mit Deutschland in der Öffentlichkeit fürchtet. Es vertraut nicht der Kraft seiner Taten, es hofft auf die Täuschung der Welt. Shakespeare und sein Cäsar wissen es, die Lüge ist der Trost des Schwachen. Das heutige England greift auch nach diesem Strohhalm. Darum offenbart es seine Schwäche. Es sucht, bis herauf zu seinem schwachen König, die Welt glauben zu machen, daß Deutschland als Friedensstörer die Gelegenheit vom Zaune gebrochen habe, seine Nachbarn rechts und links zu überfallen und den neutralen Pufferstaat Belgien zu vergewaltigen. Dabei kennt es die Wahrheit und ist sich insbesondere der eigenen provokatorischen Rolle wohl bewußt. Es weiß, daß nach längst verabredetem Spiel Rußland nach unserer Ostmark und Frankreich mit England durch die nur nach Deutschland zu aufschlagende Tür des neutralen Belgiens eindringen sollte. Die Täuschung der öffentlichen Meinung in England ist eine englische Selbsttäuschung. Die Wahrheit kommt ans Licht.

Ministerialdirektor Dr. Friedrich Freund
in der Schlesischen Zeitung.

□

Man weiß, in welcher verbrecherischen Weise England das von ihm beherrschte Weltkabelnetz benützt hat,

262

um alle Länder der Erde tagtäglich mit Lügen zu überfluten; das redlichste, achtungswerteste Volk der Welt sollte unter der Wucht der schamlosen Verleumbung einfach vernichtet werden: es ist dies vielleicht das größte Verbrechen gegen die Menschennatur, das je begangen wurde, und wird sich sicher bitter an dem Schuldigen rächen.

Houston Stewart Chamberlain,
Neue Kriegsaufsätze.

◻

Das Rezept.

Man muß einen wirksamen Nachrichtendienst in dem Gebiete des Gegners und wenn nötig, in neutralen Ländern einrichten, der nicht nur gute Nachrichten verschaffen, sondern auch falsche Nachrichten verbreiten, Verführung und Zwist in den Reihen des Gegners hervorrufen und den Gegner bei der ganzen gesitteten Welt in Mißachtung bringen soll.

Der englische Oberst Roß.
(Zitiert im Londoner „Labour Leader“. Weltkriegs-Flugschriften.)

◻

Ein hübscher Druckfehler.

Die von der Berliner „Post“ verbreitete Meldung, der Generalgouverneur von Belgien habe die beiden belgischen Kammern zu einer Tagung eingeladen, ist in das **Kabelreich** zu verweisen.

Hamburger Fremdenblatt.

◻

263

Modernes Märchen.

Es war einmal eine Londoner Zeitung, und die
schrieb die Wahrheit. . . .

□

An Reuter.

O lüg, so lang du lügen kannst,
O lüg, verfranzt, verbrit'scht, verrußt,
Die Stunde kommt, die Stunde kommt,
Wo du die Wahrheit sagen mußt.

„Luftige Blätter"

□

Eine Blütenlese . . .

Den Höhestand der Dezembermeldungen (1915) über
die Blutbäder in Berlin haben die englisch=französischen
Lügennachrichten noch nicht wieder erreicht. Immer=
hin ist auch im neuen Jahre an grotesken Erfindungen
über Unruhen, Aufstände und Krawalle kein Mangel
gewesen. Wir greifen zunächst auf jene Dezember=
meldungen zurück. Damals verbreitete selbst ein Blatt
wie das „Journal des Debats", daß in den Berliner
Straßen 200 Personen bei Hungerunruhen erschossen
worden seien. Am 13. Dezember schilderte der „Fi=
garo" in den lebhaftesten Farben, wie 50000 Personen
das Reichstagsgebäude angriffen, wie die Polizei sie
attackierte und niedersäbelte, wie die Menge vors Schloß

264

zog und die auf dem Balkon erscheinende Kaiserin aus=
pfiff. Hoffnungsvoll wies der „Figaro" seine Leser
darauf hin, daß die französische Revolution ähnlich an=
gefangen habe. Der „Temps" wußte damals nach der
„Daily Mail" zu erzählen, daß auch der Kronprinz von
der Menge insultiert worden sei. Und so ging es mit
mehr oder minder groben Ausschmückungen durch die
ganze feindliche Presse. Zu Weihnachten machte sich
„Daily Mail" mit dem Amsterdamer „Telegraaf" das
Vergnügen, einige tausend Personen vor dem Hause
des Reichskanzlers aufziehen und Pflastersteine in die
Fenster werfen zu lassen. Sogar die „Morning Post"
beteiligte sich an der Verbreitung dieser Geschichte.
Ein schweizerischer Sozialistenführer, der aus Berlin
zurückgekehrt war, wurde in der ganzen französischen
Presse am 26. Dezember als Zeuge für die furchtbaren
Berliner Meutereien vorgeführt. „Ich bin ja so glück=
lich", erklärte er, „daß ich nach der Schweiz zurückge=
kehrt bin. Denn jetzt kann ich endlich meinen Hunger
stillen." Das „Berner Tagblatt" nagelt fest, daß diese
Geschichte in den französischen Blättern nach drei ver=
schiedenen Schweizer Orten verlegt wurde, und gab
der französischen Presse den Rat, ihre Erfindungen
doch lieber von daher zu datieren, wo sie gemacht wur=
den, nämlich aus Paris.

Das neue Jahr begann, wie der englische „Poldhu"=
dienst meldete, mit großen Demonstrationen gegen
den Krieg. Unter den Linden und in der Friedrichs=
straße. Das war eine Verkennung der Prosit Neu-

265

jahrrufe, mit denen der Berliner den Beginn des Jahres zu begrüßen pflegt. Nach dieser Leistung wurde es für einige Zeit stiller. Dann aber kamen wieder zahl= lose Meldungen über Unruhen, die sich am 12. Januar in Berlin ereigneten. Der „Temps" bringt eine lange Schilderung eines „Neutralen". Danach begannen die Unruhen schon am 8. Januar in Moabit. Am 9. Januar wurden zwei Landsturmregimenter zum Schutz der Stadt herangezogen und merkwürdigerweise in — Potsdam einquartiert. Berittene Patrouillen durch= zogen die Straßen. Am 12. Januar zog dann eine große Menge von Moabit aus am Reichstag vorbei, durch das Brandenburger Tor zum Schloß. Die Bran= denburger Torwache weigerte sich, gegen die Manife= stanten vorzugehen. Plötzlich erhielten zwei Infanterie= kompagnien Befehl, zu feuern. Die Soldaten weigerten sich, auf die Menge zu schießen, aber indem sie zurück= gingen, machten sie zwei Maschinengewehren Platz, die vor dem Zeughause zu knattern anfingen. Es folgte eine furchtbare Verwirrung. Es gab etwa 60 Tote und 300 Verwundete. Das wurde dem französischen Publi= kum allen Ernstes Ende Januar erzählt und von ihm gerne geglaubt. In der vorletzten Januarwoche hat es nach den „Daily News" ein neues Blutbad in Berlin gegeben. Die Polizei machte mehrere Angriffe auf de= monstrierende Frauen, und es gab zahlreiche Verwun= dete. Die „Westminster Gazette" berichtet am 7. Febr., daß die Wilhelmstraße von allem Verkehr abgesperrt sei. Die Unruhen dauerten fort. Als der Kaiser nach

266

seiner Krankheit ausfuhr, folgten zwei Automobile, in denen Soldaten mit geladenen Gewehren saßen.

Das ist eine kleine Blütenlese, die sich leicht ver= zehnfachen ließe, namentlich, wenn man alle die un= blutigen, törichten Erzählungen über unsere Nahrungs= not hinzunehmen wollte, an denen sich das englische und französische Publikum ergötzt. So macht dem „Temps" die Mitteilung eines dänischen Reisenden besonderes Vergnügen, wonach viele seiner deutschen Bekannten 15 bis 20 kg am Gewichte verloren hätten. Gemein= sam ist allen diesen Erfindungen die Berufung auf un= genannte Neutrale. Bald sind es durchreisende Diplo= maten, bald Kaufleute, bald Journalisten. Wenn ein= mal solche Schilderungen über die Zustände in Deutsch= land mit Namen gezeichnet sind, so ergibt sich bei nä= herem Zusehen, daß auch der Name erfunden ist. Bei= spiel: die Briefe über Deutschland von Hendric Hud= son im „Temps". Ein Neutraler dieses Namens hat sich nicht in Deutschland aufgehalten.

Norddeutsche Allgemeine Zeitung, 1916.

□

Die Londoner Zeitung „Daily Mail" führt in ihrem eigenen Lande den Beinamen „Daily Liar" (Täglicher Lügner).

□

Business is business.

Die „Times" sind ein Handelsunternehmen, dessen großes Kapital gut verzinst werden soll, und das deshalb, weil der Preis des Blattes kaum die Papier- und Druckkosten deckt, auf Inserate angewiesen ist. Die aber erhält in stattlicher Zahl nur eine Zeitung, von der viel geredet wird. **Fremde Regierungen anzugreifen, ist bequem und ärgert den Briten nicht so leicht wie ein heftiger Angriff auf Personen seiner Heimat.** Wenn den Fremden dieser Zustand bekannt wäre, so würden sie Tadelsworte unserer Presse mit Gleichmut ertragen.

Lord Palmerston.

□

Der Berliner Timeskorrespondent.

Schon seit Jahren sind die Berichte des Timeskorrespondenten in Berlin eine wahre Schmach, **an positiven und an negativen Lügen hat dieser gewissenlose Mensch** — auf dessen feiges Haupt ein gut Teil von allem Jammer dieses Krieges fällt — das Unglaublichste geleistet; mehrmals fragte ich, warum man den Elenden nicht mit Peitschenhieben von Berlin bis zur Grenze jage; immer hieß es: „Es gibt kein Gesetz gegen die Lügen." Dieses Gesetz muß jetzt gemacht werden: Lügner, die den Frieden Europas gefährden, müssen gehenkt werden!

Houston Stewart Chamberlain, Kriegsaufsätze.

□

268

Der Berliner Vertreter der „Times", Mr. Saun=
ders, lebt seit zehn Jahren in der deutschen Haupt=
stadt, verheiratet mit einer Tochter des verstorbenen
Oskar Hainauer. Ihm sagte 1902 der frühere Staats=
sekretär von Richthofen coram publico ins Gesicht:
„Niemand hat mehr zur Vergiftung der öffent=
lichen Meinung in England gegen Deutsch=
land beigetragen als Sie!"

Dr. Th. Lorenz, „Die englische Presse".

□

Ein hübsches Beispiel.

Ein typischer Fall ist folgender: Das britische
Kriegsministerium veröffentlichte vor kurzem eine Denk=
schrift gegen die Anschuldigung, daß die Engländer
Dum=Dum=Geschosse verwendeten. Die beginnt mit
einer Anklage gegen Deutschland: dieses verwende
Dum=Dum=Geschosse, wie aus den Wunden von Ein=
geborenen in Togo nachgewiesen sei. Was die englische
Revolvermunition anlange, so sei sie nicht schlimmer
als andere Revolvergeschosse. Das War=Office weiß
sehr wohl, daß es sich für Deutschland nicht um die paar
Revolverpatronen, sondern hauptsächlich um die ge=
wöhnlichen Flintengeschosse handelt; von denen spricht
die Denkschrift einfach nicht. Es weiß aber noch besser,
daß die Engländer selbst im Haag durchgesetzt haben,
daß die Bestimmung, die die Dum=Dum=Geschosse ver=
bietet, für die Kolonien nicht gilt. Das War=Office
streut also dem Publikum Sand in die Augen

269

und erreicht gleichzeitig, daß die Deutschen
als Barbaren angesehen werden: und dabei
steht die britische Ehre doch rein da, denn
es hat nicht direkt gelogen.

Professor Dr. Wolfgang Keller,
„Das moderne England", 1915.

口

Ein Ausflug ins Land der Neutralen ...

„Skanska Aftonbladet" hat von G. Street u. Comp.
Ltd., Agents to the Board of Trade Departements,
London, einen fünf Spalten langen Artikel „Der Bar=
barismus im Kriege" empfangen mit dem Ersuchen um
dessen Veröffentlichung. Der Artikel ist eine Wieder=
gabe eines Aufsatzes in der „Times" vom 13. Mai und
stellt einen Auszug dar aus dem Bericht, den das vom
britischen Parlament eingesetzte Komitee über „Deutsche
Grausamkeiten und Gewalttätigkeiten in Frankreich und
Belgien" erstattet hat.

In dem Briefe, der den Artikel begleitet, heißt
es, — so schreibt das genannte Blatt — daß dieser un=
sere Leser interessieren dürfte, weshalb um Platz für
denselben im Text (Redaktionsspalten) ersucht wird.
Hierauf kommt folgender recht bemerkenswerter Zusatz:

„Sollten Sie Ersatz wünschen für bare
Auslagen, wie Übersetzungs= und Druckkosten,
werden wir mit Vergnügen Ihnen entgegen=
kommen und bei Empfang Ihrer Rechnung
Rimesse für den aufgegebenen Betrag senden."

270

Das obige Zitat gibt Veranlassung zu gewissen Betrachtungen, die selbst anzustellen wir unseren Lesern anheimgeben. Wir wollen uns auf den Hinweis beschränken, daß unsere Schriftleitung keine Übersetzungshilfe braucht, und daß wir stets selbst den Satz und den Druck derjenigen Artikel bezahlen, die wir für wert erachten, veröffentlicht zu werden.

Was den in Rede stehenden Artikel betrifft, so wünschen wir auf diesem Wege G. Street u. Comp. Ltd. mitzuteilen, daß wir nicht zu Diensten stehen können. Der fragliche Artikel bezweckt offenbar, in unserem Lande Gefühle von Unwillen und Haß gegen Deutschland zu wecken, und dazu können wir nicht mitwirken.

Wir verweisen die geehrte Firma auf das alte gute englische Sprichwort „Charity begins at home". In der heutigen Ausgabe dieser Zeitung (Times) ist ein sehr aktueller Artikel zu lesen über die Gewalttätigkeiten, die begangen sind gegen die Deutschen, die unglücklich genug sind, gegenwärtig in England und dessen Kolonien sich aufzuhalten. Was in Belgien sich zugetragen hat, ist noch nicht klargestellt und muß im Zusammenhang mit dem betrachtet werden, dessen die Belgier sich gegen die deutsche Armee schuldig gemacht haben. Was in England vorgefallen ist gegen dort wohnhafte Deutsche, steht dagegen schon im klaren Licht.

Es ist demzufolge unsere Überzeugung, daß eine Firma wie die erwähnte im wahren Interesse der Menschheit und der Humanität handeln würde, wenn

271

sie damit anfinge, die englische öffentliche Meinung
umzubilden zu versuchen, anstatt in neutralen Ländern
Propaganda zu treiben.

Skanska Aftonbladet, Christiania.

□

Zensur . . .

Meine eigene Erfahrung als Kriegsbericht=
erstatter war, daß von 78 meiner Kriegsdepe=
schen von Deutschland nach Amerika überhaupt
nur vier in Amerika ankamen. Von diesen vier
Depeschen, die vom englischen Zensor durchgelassen
wurden, war die eine vollständig verzerrt, oder deutlicher
ausgedrückt, gefälscht, so daß sie meinen richtigen Bericht
über einen deutschen Sieg, in einen falschen Bericht einer
angeblich deutschen Niederlage verwandelte. Hätte der
betreffende englische Zensor in England auch nur einen
Schein von fair play bewahrt, so hätte er doch wenigstens
meinen Namen von dieser so unverschämt gefälschten
Depesche weglassen können. Besonders empörend ist,
daß eine Zeitung für so eine freche Fälschung durch einen
anonymen Zensor noch Depeschengebühren bezahlen
muß. Ich halte es für angemessen zu bemerken, daß ich
während meiner ganzen Tätigkeit als Kriegsbericht=
erstatter ähnliche Sachen, wie sie mir in England passiert
sind, nie von einem deutschen Zensor zu erleiden hatte,
obgleich meine Berichte durchaus nicht immer von deut=
schen Siegen handelten. Es ist mir dazu noch amtlich

272

mitgeteilt worden, im Falle, daß ich das Unglück haben sollte, daß eine längere Depesche von der deutschen Zensur ganz untersagt werden sollte, mir das voraus bezahlte Geld für die Telegraphengebühren vom deutschen Post= amt wieder vergütet wird. Was ich über Unterdrückung oder Fälschung von Zeitungsdepeschen erzählt habe, wird begreiflich machen, wie sehr jede Kenntnis der jetzigen Kriegsereignisse im allgemeinen Publikum von der Hand= habung der Zensur abhängt.

Nach deutscher militärischer Auffassung ist der eigent= liche Zweck der Kriegszensur, einfach zu verhindern, daß eine der deutschen Sache wirklich gefährliche Kenntnis von deutschen militärischen Unternehmungen zum Feinde gelangen solle. Was das zu bedeuten hat, versteht jeder deutsche Berichterstatter, und versteht auch jeder militärisch gebildete Mann, so daß es in Deutschland durchaus nicht schwer fällt, die richtigen Zensurmaßregeln zu setzen. In anderen Ländern aber hat man die unglaublichsten Vor= stellungen von dem, was Kriegszensur überhaupt zu be= deuten hat. Daher kommen auch alle jene weißen Lücken in den Spalten der Zeitungen des feindlichen Auslandes. Erst neulich sah ich in einer Londoner Zeitung eine öffent= liche Parlamentsrede des Munitionsministers Lloyd George, welche bös verstümmelt wurde. Zur selben Zeit bemerkte ich in einer der letzten Nummern der Pariser „Guerre Sociale,“ daß von einem spaltenlangen Leit= artikel Gustav Hervés überhaupt nur die Überschrift vom Zensor übriggelassen worden war. Solche Zensurdumm= heiten dienen wahrhaftig nur dazu, die eigene Regierung vor dem ganzen Zeitungspublikum lächerlich zu machen.

So kommt es, daß die ganze englische Zeitungspresse darauf angewiesen ist, ihre Berichte über die Begebenheiten an den Dardanellen und auf Gallipoli, von einem einzig zugelassenen Berichterstatter zu beziehen, nämlich von Achmeed Bartlett. So kommt es auch, daß die französischen, russischen und italienischen Zeitungen, da ihnen eine eigene Berichterstattung offenbar nicht gestattet worden ist, darauf angewiesen sind, ihre sogenannten Spezialberichte von der Front einfach von den großen englischen Zeitungen abzuschreiben. In England dagegen, wo die früher so beliebten Spezialberichte von bekannten Kriegskorrespondenten jetzt wegen der Zensur fast gänzlich weggefallen sind, fühlen sich die englischen Heerführer geradezu gezwungen, lange ausführliche Berichte, die für das wissenshungrige Publikum bestimmt sind, über ihre eigenen Schlachten zu liefern. Daher kommt es, daß wir in den Londoner Zeitungen spaltenlange Berichte über Schlachten in Flandern und den Dardanellen zu lesen bekommen, versehen mit den Unterschriften des Feldmarschalls French und des Generalleutnants Hamilton. Was würden die Deutschen denken, wenn ihre Heerführer, z. B. Hindenburg, nach seinen Schlachten an den Masurischen Seen und anderswo, anstatt vorzugehen und dreinzuschlagen sich damit abgegeben hätten, seitenlange Aufsätze über ihre eigenen Leistungen für das deutsche Lesepublikum zu verfassen? Ebenso, wie man früher den prahlerischen Schlachtenbulletins Napoleons nie recht glaubte, so traut auch heute

274

kein unbefangener Zeitungsleser den beschönigenden Kriegsberichten dieser englischen Generäle.

Die überscharfe Kriegszensur, wie sie jetzt von den Feinden Deutschlands ausgeübt wird, wird vielfach auf die Japaner zurückgeführt; aber dem ist nicht so. Die rücksichtslose Kriegszensur stammt wirklich aus dem englischen Nilkriege gegen den Mahdi, und führt direkt auf General Kitchener zurück. Kitchener war damals, wie seitdem immer darauf bedacht, nur seine eigenen Schilderungen seiner Kriegstaten nach England und in die allgemeine Öffentlichkeit durchsickern zu lassen. Diese setzte er auch mit der brutalsten Rücksichtslosigkeit durch. Jene englischen Korrespondenten, die sich seinem Willen nicht gefügig zeigten, wurden einfach durch Verhaftung unschädlich gemacht. Einer von ihnen, ein früherer englischer Offizier, fühlte sich durch seine Verhaftung derartig gekränkt, daß er sich das Leben nahm. An seine Stelle wurde von Kitchener ein gemeiner Soldat gesetzt, um die betreffende Zeitung weiter mit sogenannten Spezialberichten zu versorgen. Bei der Schlacht von Omdurman, ließ Kitchener, um seiner ganz sicher zu sein, alle Berichterstatter, die dabei waren, zusammentreiben und fern vom Schlachtfelde bewachen, bis der Kampf vorüber war. Dann endlich wurde den Berichterstattern Kitcheners eigene Schilderungen der Schlacht ausgehändigt, mit dem Befehl, den Bericht so und nicht anders ihren Zeitungen zukommen zu lassen. So gelang es auch Kitchener, wie ein ägyptischer Prinz, der mit dabei war, mir erst neulich erzählte, es ganz zu verheimlichen, daß diese

Schlacht tatsächlich von den ägyptischen Truppen in eng=
lischen Diensten, und nicht von den Engländern selbst, wie
Kitchener fälschlich ausgab, gewonnen wurde. Später,
im Kriege gegen die Buren, trieb es Kitchener mit seiner
berüchtigten Kriegszensur noch weiter.

Der amerikanische Oberst Edwin Emerson.

□

Eine deutsche Satire.

□

Die Zepps.   London. (Amtlich.)

Gestern erschienen wieder vier Zeppeline über Eng=
land. Sie warfen 38 Bomben ab, von denen 42 Blind=
gänger waren.

Wie immer richteten die Zepps keinen Schaden an.
Nur in Dover wurde von dem Luftzuge ein Tintenfaß
umgeworfen und eine hellrote Tischdecke beschmutzt. An
der Küste von Surfolk wurde ein Hecht getroffen, gerade
als er nach einer badenden jungen Dame schnappen wollte.
Also auch hier muß das Böse Gutes wirken. In Devonshire
trafen den neuen Zylinderhut des Bürgermeisters einige
Erdspritzer.

Getötet oder verwundet wurde niemand. Im Gegen=
teil, ein kranker Soldat wurde vor Aufregung sofort gesund.

Wer diesem Bericht nicht in allen seinen Teilen voll=
ständigen Glauben schenkt, wird unverzüglich ins Heer
eingereiht.

Das britische Kriegsamt.
Aus dem „Ulk".

□

276

Spruch.

Mit der Zunge mag er unterliegen,
Der Michel muß jetzt mit den Fäusten siegen!

Hans Thoma.

□

277

Englischer Gefechtsbericht.

Was braucht man für ein Seegefecht?
  Und wodurch wird der Feind geschwächt?
Zunächst durch Taten
  Und Granaten.
Sodann genügt das Schießen nicht,
  Durch den Bericht.

Wenn dir ein eig'nes Schiff zerbricht,
  Ersteht es auf in dem Bericht.

Wenn es ein böses Ende nimmt,
  Erkläre deutlich und bestimmt:
„Es schwimmt".

Und wenn es auf den Grund versank,
  So schreib': „Noch lebt es, Gott sei Dank!"

Es ist ein argloses Vergnügen,
  Sich in die eig'ne Tasch zu lügen.
                            Gottlieb im „Tag".

□

278

Schlagschatten
(Kultur — Sitten)

□ □ □

Die englische Verfinsterung.

Vor den unerhörten Weltereignissen, die nun schon solange bis zur Tortur Beschlag auf das Gedanken= und Gefühlsleben gelegt haben, ist es wohl vielen so wie mir ergangen: nicht der Krieg selbst mit all seinen Greueln und Großtaten, seinen Hoffnungen und seiner Unruhe hat den Sinn am meisten bedrückt und bedrängt. Noch schwerer ist vielleicht die Wortkampagne empfunden worden, bei der die hohen und neutralen Gebiete der Gerechtigkeit Eroberungs= und Verheerungszügen aus= gesetzt waren. Es ist uns klar geworden, wenn es nicht schon vorher klar war, daß Gewalt und Tod, Blut und Eisen nicht die furchtbarsten Waffen im Kampfe um die Schicksale der Völker sind, sondern daß die Lüge den Preis der Gräßlichkeit davonträgt.

Wohl wäre es pedantisch, ruhiges und überlegenes Wahrheitsstreben zu verlangen, mitten in all der Unsicher= heit darüber, was wirklich geschehen ist und warum es dahin kommen mußte. Bei aller Berücksichtigung der menschlichen Unvollkommenheit des Urteils tritt doch mancherorten eine so greifbare Verfälschung und Ver=

281

drehung zutage, daß sie niemanden unberührt lassen kann. Am meisten scheint mir dies von der Meinung zu gelten, die sich uns und der ganzen übrigen sogenannten neu= tralen Welt gerade aus jenem der kriegführenden Länder aufzudrängen sucht, das — mit Ausnahme von Japan — schon durch seine Lage am besten imstande sein sollte, Besonnenheit und Ritterlichkeit zu bewahren. Das ist natürlich England.

Man kann wohl mit Sicherheit annehmen, daß die einheimischen Revolten gegen die nationale Verfinsterung, die in einzelnen Stimmen hierher gedrungen sind, auch quantitativ mehr bedeuten, als es für uns den Anschein hat — England hätte sich sonst sehr arg verwandelt. Aber die es dahin gebracht haben, daß das blinde Vorurteil und der wahnsinnige Haß offiziell die Volksstimmung vor der Außenwelt repräsentieren, die müssen sich darein finden, daß man ihnen auf ihr Wort glaubt und seine Wertschätzung danach einrichtet.

Das ist peinlich genug für jene, die in Bewunderung für englisches Wesen und englischen Charakter aufge= wachsen sind und der englischen Kultur Großes für ihre geistige Entwicklung verdanken. Es wird für sie ein schwer zu lösendes Problem sein, wie die neue Auffassung mit den alten Erfahrungen in Einklang gebracht werden kann. Wie kann ein Volk, in dessen Stimme man vielleicht stärker als bei anderen den tiefen und starken Ton des Gewissens= lebens vernommen hat, plötzlich Himmel und Erde mit einem hysterischen Riesengeschrei erfüllen, zusammen= gesetzt aus Schrecken und Lüsternheit, Prahlerei und List,

282

nationalem Egoismus unter dem Deckmantel der Gerechtigkeit und lauter greller Disharmonie?

Aber das Problem ist nicht so hoffnungslos, wie es
aussieht — glücklicherweise —, wenn es auch wenigstens
meine Fähigkeit, es restlos zu ergründen, übersteigt. Der
Ausgangspunkt ergibt sich von selbst, und wenn wir daran
festhalten, wird uns der Weg wenigstens im Umriß klar.

Es ist mit Völkern wie mit Individuen: wie würdig
sie einer Gefahr begegnen, die Glück, Gesundheit oder auch
nur Ruhe und Behagen bedroht, hängt nicht nur davon
ab, wieviel Mut und Gediegenheit sie in sich haben —
niemand kann an den Fonds der Engländer daran zweifeln, — es kommt auch darauf an, wie das Leben sie auf
Umwälzungen vorbereitet hat. Wer allezeit Sicherheit
und Erfolg gehabt hat, faßt diese Gabe als ein Grund-
element der vernünftigen Weltordnung auf, und der bloße
Gedanke an eine andere Wendung empört ihn als ein
Verbrechen und eine Unanständigkeit. Die „Rule Bri-
tannia" mit ihrem Anspruch auf ewige Herrschaft über
die Meere, wobei gleich einiges mitgeht, das die Ufer betrifft, kann ja als ein etwas unbescheidenes Volkslied
erscheinen. Es ist jedoch ganz echt und naiv, und die
Naivität hat ihre Entschuldigung in erheblich mehr als
einer einhundertjährigen Tradition für die Ansprüche.
Auf einem noch so breiten Sitzplatz zusammenzurücken,
fällt dem nicht leicht, der seine Proportionen nach der
Bank eingerichtet hat. Das Blut steigt bei dem leisesten
Wink einer angemessenen Teilung zu Kopfe. England
vor einem Rivalen auf diesem Gebiete, das ist der reiche

283

Geldfürst, die Gesellschaftsstütze, seines Vaters Sohn und seines Großvaters Enkel und noch viel mehr, dem so allmählich die Augen für das Schild einer neuen Bank in der Stadt aufgehen. Wie muß er sich nicht über die Unverschämtheit und Gewinnsucht entrüsten, die aus jedem vergoldeten Buchstaben schimmert, vom ersten bis zum letzten Herausforderungen seiner eigenen auf der anderen Seite der Straße, Parodien seiner ehrwürdigen Hauszier! Der Gedanke an die Unbeständigkeit und den Wechsel aller menschlichen Dinge ist ihm neu, wenn auch die Worte recht oft in seinen Andachtsübungen vorgekommen sind; er hat darum eine Macht über die Phantasie, die leicht zur Monomanie wird. Gut und respektabel, wie er selbst ist, leidet er mit der Idee der Güte angesichts des Zweifels an der Ehrlichkeit und Moral des Neuankömmlings. Sollte es schließlich geschehen, daß er mit dem Stock in die Spiegelscheibe schlägt, so ist es nur seine Idealität, die die Waffe lenkt und den goldenen Griff mit Energie ladet. Man merkt das am besten an seiner sofortigen Bereitwilligkeit, seine Auffassung zu ändern, sowie nur der Nebenbuhler den Beruf geändert und einen gewählt hat, bei dem seine guten Seiten zu ihrem Rechte kommen.

So wie der Franzose sehr bald nach Faschoda mit jedem Tage netter wurde, so würde man bei dem Deutschen, nach einem Konkurs in Weimar angesiedelt und damit beschäftigt, einen dritten Teil Faust zu schreiben (der allerdings keine Aussicht hätte, ins Englische übersetzt zu werden), allerlei menschliche Eigenschaften entdecken, eine gewisse, etwas ländliche aber treuherzige

284

Kultur und eine vortreffliche Singstimme. Der englische Haß verflüchtigt sich sofort mit dem Siegesrausch. Die Buren waren nur, solange sie in Waffen standen, un= würdig zu atmen, und gingen unmittelbar darauf dazu über, ein ehrenwertes, ja ein regierungsfähiges Volk zu sein. Die Derwischkrieger im Sudan „Fuzzy Wuzzy", wie Tommy Atkins=Kipling sie nannte, bekamen, sowie die Maschinengewehre sie in horizontale Lage brachten, eine Aureole von halb komischem Heldenmut und einen freundlichen Klaps auf den erkalteten wolligen Schädel. Einem jeden leuchtet der Hoffnungsschimmer auf britische Sympathie, wenn er nur seine Stellung kennt und sich anspruchslos damit begnügt.

Aber die Gefühlsglut, die wir jetzt erleben, hat eine tiefere Grundlage, als die Geringschätzung des reichen Mannes für kleine Leute und Parvenus — zur Kon= kurrenzangst hat sich ein kälterer Schauer gesellt. Auch die englische Toleranz für den Krieg, so ungewöhnlich weitherzig sie in der Praxis ist, hat doch ihre Grenzen, die mit gewissen Minimaldistanzen von Englands Küste zu sammenfallen. Ein Krieg, der auch nur mit dem Schatten einer Möglichkeit den eigenen Boden bedroht, wird zu etwas Unerhörtem, Unerträglichem für den Gedanken, ebenso empörend durch seine grausame Barbarei wie durch seine Unanständigkeit (indecency). Daß England so wie andere Länder eine Invasion riskieren sollte, wenn es ihm beliebt hat, seinen bewaffneten Besuch bei einem Nachbarn anzumelden, macht denselben Eindruck des Auf= ruhrs gegen die Naturgesetze, wie wenn das Tor, das

285

man mit dem Fuße eintreten will, sich einfallen ließe, zu=
rückzutreten, oder als ob eine beschimpfte Kreatur die
Schnauze öffnete, um zurückzuschimpfen. Die Über=
raschung wäre ebenso peinich wie verwirrend. Was
700 Jahre lang eine Voraussetzung für englische Kriege
gebildet hat: daß sie bei Fremden ausgekämpft wurden
(Freunden oder Feinden) und am liebsten mit fremden
Söldnern, das ist so allmählich zu einem Paragraphen
des Völkerrechtes geworden. Eine Kriegsunternehmung
gegen das geheiligte England ist nicht Krieg, sondern
Mord, Überfall auf Wehrlose, Aufruhr und Gottlosigkeit,
und niemand kann verlangen, daß der Überfallene sich
mit dem gewöhnlichen Maß der Reaktion gegen den Feind
begnügt. Wer einige der Bücher liest, in denen in den
letzten Jahren patriotische und prophetische Engländer
visionär die deutsche Gefahr gemalt haben, wird über die
Beschaffenheit des Feindes staunen. Der „Hunnen"name
war noch nicht erfunden, aber die Phantasiekraft der
Schilderung war zum mindesten ebenso lebhaft wie heute.
Es dampft aus den Seiten, es brennt in den dichtenden
Gehirnen, und die Greuel erscheinen umso unverzeihlicher,
als der harmlose, durch und durch ehrliche und friedliche
Charakter der Opfer so stark mit der listigen Brutalität
der Büttel kontrastiert. Der Krieg, für uns andere ein
ernster und schwerer, aber doch so einigermaßen durch=
dachter Begriff, ist auf dieser Insel ein lähmendes Novum,
ein Taumel, ein Weltuntergang. Man weiß nicht, was
man von dieser inneren Zwiespältigkeit denken soll, die
eines der größten Eroberervölker der Geschichte ihr Land

286

als unverletzlichen Tempel des Friedens sehen läßt. Wie dem im übrigen auch sein mag, die Überraschung ist jedenfalls eine vollkommen echte. Sie mag so schwer sie kann in die Wagschale fallen — was gewiß nicht sehr schwer sein wird — um die Exzesse der Kriegspsyche zu entschuldigen.

Aber diese haben noch eine tiefere Ursache und sie liegt in einem ebenso besonderen englischen Zuge. Es ist bedeutend komplizierter, ihn zu ergründen, und schwerer, ihn gerecht zu behandeln.

Der beispiellose Erfolg des englischen Volkes in der Welt beruht nicht nur auf der geographischen Lage oder auf hohen Gewinnsten in der Lotterie der Weltereignisse, er ist vor allem Klugheit und Kraft und einer strengen Charakterdisziplin zu danken. Aus der Selbstprüfung des Puritanismus gingen die neuen Konquistadoren vollgerüstet zu ihrer Eroberung der Erde hervor. Der Protestantismus wurde bei ihnen praktisch und aktiv, aber er behielt mehr von seinem religiösen Ursprung als der der Holländer bei ihrer ähnlichen Bahn. Man hatte für seine Gewißheit der göttlichen Gnade und Hilfe ehrlich bezahlt; und nahm sich diese Gewißheit wie Selbstgerechtigkeit aus, so war doch darin die verpflichtende Idee der Gerechtigkeit kein totes Moment. Was den Staat unter noch so weltlicher Leitung vorwärts trieb, das war die lebende, geistige Kraft breiter Volksschichten und das Streben der Individuen, ein sehr schwieriges Ideal zu verwirklichen: das des makellosen christlichen Gentleman oder Erwerbsmenschen.

287

Nun ist es aber so, daß Ideale, auch wenn sie wie dieses gewiß nicht von überschwenglicher Art sind, die menschlichen Saiten hart anspannen, und sich immer Mißtöne in die Harmonie einschleichen. So entstand jene „respectability", die so vielem Dünkel zugrunde liegt und die die Ausländer heuchlerisch zu nennen pflegen*.

Nicht nur Ausländer übrigens. Eine ganze Reihe von Englands größten Dichtern haben die Heuchelei in flammenden Tiraden oder in ausgeführten Phantasie= bildern verhöhnt. Es ist kein Zufall, daß dieses Motiv in der englischen Gesellschaftsschilderung ein stehendes ge= worden ist, während es anderswo nur eine geringe Rolle gespielt hat. Tartuffe fand keinen Abkömmling, während der viel weniger lebenskräftige Hudibras viele fand. Wie das Mißtrauen in der Luft lag, wird vielleicht am besten dadurch bewiesen, daß selbst die größte Gestalt der englischen Geschichte, Cromwell, fast 200 Jahre lang in niedriger und törichter Verkleidung als Scheinheiliger auf die Nachwelt kommen konnte, aber diese Tatsache mahnt auch zur Vorsicht beim Verallgemeinern.

Tatsächlich gehören diese pharisäischen Personen von Bliffil und Thwackum mit all den andern Fieldlingschen Gestalten, und Joseph Surface in School for Scandal bis zu Dickens' Pecksniff und den intriguierenden falschen Liebhabern der Mißromane nicht zu den wirklich leben= digen Schöpfungen der englischen Dichtung. (Die einzige Ausnahme, deren ich mich im Augenblick entsinne, ist

---

* „Were there any decent people?" — „No, only foreigners".
(Aus einem englischen Gespräch, angehört von einer schwedischen Dame.)

288

Thackerays glänzender Sir Pitt Crawley der Jüngere.)
Aber das liegt daran, daß man zu grob koloriert und zu
einfach gesehen hat, nicht daß die Erscheinung etwa nicht
vorhanden sein sollte. Wer Ohren hat zu hören, der wird
heute, in der politischen Diskussion das Gegenteil wahr=
nehmen. Bliffil wurde, nach Fielding, Methodist mit
dem Gedanken, an die Parlamentskarriere. Und es ist
nicht unwahrscheinlich, daß er es in dieser Laufbahn weit=
gebracht hat. Thwackums blutrünstige Heiligkeit donnert
in der Presse, und Surface hat die Kunst der Verleum=
dung nicht vergessen, wenn er auch an Witz einiges einge=
büßt hat.

Aber in seiner Gesamtheit ist das Phänomen von
viel menschlicherer und subtilerer Art. Die „respecta=
bility" ist zum großen Teile echt, aber auch so wird sie
zu einer Gefahr, wenn sie vor dem Problem steht, wie in
aller Welt sich jemand erdreisten kann, das ihr gebührende
Primat in Frage zu stellen? Eine je höhere Meinung sie
von ihrem Wert hat, desto niedriger muß sie den des
Feindes einschätzen. Als schlechte Psychologin, die sie ist
— denn man seziert nicht gut mit Handschuhen — glaubt
sie ungefähr welche Ungeheuerlichkeit immer, umso leich=
ter, wenn ihre eigene erhabene Persönlichkeit dadurch ein
Relief bekommt.

Dieses Pharisäertum — das Wort ist nicht zu hart,
und die ursprünglichen Pharisäer waren bekanntlich respek=
table Leute — hat sicherlich sein Wesen nicht dadurch ge=
ändert, daß seine Kardinaltugend im Laufe der Zeit teil=
weise eine andere Basis erhalten hat: den Liberalismus.

Das ist eine Farbe, die ebenso weiß im Lichte scheint und kleine Gebrechen ebenso gut verdeckt wie religiöse Moralität. Für den naiven Durchschnittsbriten bietet es keine Schwierigkeit, ein Ritter der Freiheit in der Gesellschaft von Rußland zu sein. Man ignoriert ganz einfach gewisse Fakten durch eine Willensäußerung, so wie Don Quijote durch eine feierliche Erklärung die Pappendeckelteile seines Helms in homogenen Stahl verwandelte.

Der etwas mehr Reflektierende gibt der Freiheit eine begrenzende Definition. Er kämpft gegen den „Militarismus" (zu Lande) und will die Menschheit von der allgemeinen Wehrpflicht erlösen, um ihr selbst zu entgehen. Das heißt seinem Nächsten eben so Gutes gönnen wie sich selbst und die Begeisterung für das schöne Ziel ist umso aufrichtiger, als die beibehaltene Herrschaft zur See dafür bürgt, daß die Gleichstellung theoretisch, ideal und luftig bleibt. Die Regierenden hinwiederum, die wissen ganz gut, daß auch dieses Programm nur provisorisch ist. Sie bereiten sicherlich in ihren Kombinationen schon einen neuen und vielleicht ebenso heiligen Krieg für die Freiheit vor. Der würde sich natürlich gegen den gegenwärtigen teuren Freund Rußland richten, und zum Beistand wären entsprechend gezüchtigte und entsprechend geschonte Feinde ganz willkommen.

Dabei können auch andere kleine Völker Gelegenheit haben, ihre Dankbarkeitsschuld für die Wohltaten zu bezahlen, mit denen man sie jetzt überhäuft. Eliminiert man die Freiheit aus den Gleichungen, so bleibt für England ein Ziffernresultat und für die übrigen die Annehm-

290

lichkeiten des Krieges. Es ist natürlich, daß die Herren über derlei den Mund halten, aber sie sollten dann auch über ihre Moral schweigen.

Von einem Politiker dieser Kategorie ist auch bezeichnenderweise der kompromittierendste Ausdruck des Nationalhasses gekommen. Ich meine Lord Curzons Worte über den geträumten Einzug in Berlin mit den bengalischen Lanzenreitern Unter den Linden und den kleinen braunen Gurkhas im Potsdamer Park. Das ist der Wahnsinn zu einer Art Feinschmeckerei ausgebildet, zu gastronomischem Genusse. Der tapfere und wahrlich mit allem Recht stolze Feind sollte den Becher der Demütigung nicht nur mit Galle und Essig leeren, sondern mit exotischen Würzen, die die Nerven am Einschlummern hindern. Hier sehen wir die ärgsten Fehler des englischen Charakters beisammen, die Härte des Reichtums, den wehleidigen Egoismus des Verwöhnten und die Überhebung des Respektablen. Von diesem brutalen Falle, den man vergessen möchte, wenn man es könnte, gehen die Nuancen bis zu den Normalmaßen der nationalen Verirrung.

Es hat bei uns daheim nicht an Stimmen gefehlt, die mehr oder weniger ehrlich in die zarte Besorgnis der Feinde Deutschlands für die Seele des Gegners eingestimmt sind. Sie haben der großen Nation eine Niederlage gewünscht, um sie vor dem „Militarismus" zu retten, der angeblich ihre bessere Natur verdirbt, selbst angesichts der Zeugnisse dieser Zeiten in glücklicher Unwissenheit, wie unumgänglich für das Dasein des deutschen Volkes als Volk der strenge und stolze Kriegergeist gewesen ist.

Man hätte allen Grund, seine Seufzer nach anderer Seite zu wenden und dem ebenfalls großen englischen Volke eine baldige Besserung von der intellektuellen und moralischen Krankheit zu wünschen, die jetzt seine Züge verändert und — wahrlich nicht verschönert — hat.

Aus: Per Hallström,
„Der Volksfeind, Vier zeitpolitische Aufsätze", München,
Friedrich Bruckmann, A. G., 1916.

□

Der englische Gentleman.

□

Heute wissen wir, daß der englische Gentle=
man eine Legendenfigur ist, daß wir für innere
Vornehmheit und wirkliche Kultur nahmen,
was nichts ist, als eine vom englischen Nüz=
lichkeitssinn in kühler Verstandsberechnung ge=
prägte Einheitlichkeit der äußeren Lebens=
formen. So hat uns die eigene bitterste
Erfahrung für die Lehren der englischen
Geschichte die Augen geöffnet, aus denen
uns das „perfide Albion“ entgegentritt als
die rücksichtsloseste Interessenvertretung be=
denklichkeitslosester Macht und Erwerbssucht,
die die Weltgeschichte kennt. Die eiserne Folge=
richtigkeit, mit der das englische Volk seinen
Macht= und Gewinnbestrebungen zum Siege
verhilft, könnte uns fröstelnde Bewunderung
abzwingen, wenn nicht das ständig hervor=
tretende Bestreben, selbstsüchtigen Raubsinn
in das Mäntelchen ethischer oder idealistischer
Gesichtspunkte zu enthüllen, den Ekel vor
dieser großartigen Heuchelkunst weckte, die dem

englischen Volke den Namen das perfide Albion
eintrug.

Alfred Geiser,
„Das perfide Albion".

□

A steht für Abel. Abel war ein besserer Mann als
sein Bruder Cain; darum erschlug Cain den Abel.

Aus einem alten englischen Abc-Buch.

□

Merry old England!

Welch ein widerwärtiges Volk, welch ein widerwär=
tiges Land. Wie steifleinen, wie hausbacken, wie selbst=
süchtig, wie englisch! Ein Land, welches längst der Ozean
verschluckt hätte, wenn er nicht befürchtete, daß es ihm
Übelkeit im Magen verursachen möchte.

Einl. zu Heines „Shakespeares Mädchen und Frauen".

□

Heute ist die letzte Spur des „heiteren alten England"
zertreten: man trifft in England keine Behäbig=
keit, keinen breiten, gütigen Humor, keine
Heiterkeit an; Alles — soweit das öffentliche Leben
in Betracht kommt — ist Hast, Geld, Lärm, Pomp, Protzen=
tum, Vulgarität, Arroganz, Mißmut, Neid.

Houston Stewart Chamberlain, Kriegsaufsätze.

□

294

Geist und Materie ...

Die wirtschaftliche Kraft zu handeln ist bei den Eng=
ländern wahrhaft großartig, aber nicht hinlänglich
unter die Botmäßigkeit der Intellektualität
gebracht. Es ist eine mehr tierische als geistige Tat=
kraft, die sich vom Einzelfall weitertastet, von der Hand
in den Mund lebt und sich für den Tag zweckentsprechend
einzurichten sucht, ohne darüber zu grübeln, ob dadurch
Zweckmäßigkeit für die lange Zukunft, die unfehlbar mit
heute anfängt, zu erzielen ist.

Der schwedische Professor Stephen vor 10 Jahren.

□

Der geistige Schlaf ...

Geistige Tätigkeit ist für den Engländer
selten ein Genuß, immer eine Arbeit. Sie bietet
ihm daher auch keine Erholung; diese findet er nach den
Strapazen des Tages und der Woche vielmehr im Auf=
enthalt in freier Luft und im stählenden Kampfesspiel.

Das englische Volk gebraucht erstaunlich viel Schlaf.
Wundervoll ist seine Fähigkeit, auch mit wachenden
Augen von Zeit zu Zeit in eine Art von geistigem Schlaf
zu versinken. Immer wieder trifft man jene glücklichen
Männer, die imstande sind, Tag für Tag stundenlang vor
dem Kamin zu sitzen, ohne das Geringste zu tun oder zu
sagen; höchstens, daß sie eine Pfeife nach der andern
rauchen. Und dann die jungen und die alten Damen,
die unentwegt, ohne zu ermatten, ihre Patience legen!

295

Nur in England konnte das Angeln und das Golfspielen zu einem Nationalsport werden, nur in England können religiöse Versammlungen in dauerndem Schweigen verharren, erwarten, bis der Geist einem Auserwählten den Mund öffnet; nur in England sind Klubs eine Lebensnotwendigkeit, in denen die Mitglieder zusammen kommen und schweigend ihre Zeitung, jeder einzelne für sich, zu lesen. Die Ruhemöbel, die zum erschlaffenden Ausruhen einladen, sind auch eine englische Erfindung.

Professor Dr. Frischeisen=Köhler, in „Das englische Gesicht".

◻

Das Verbrechen der Armut.

Meiner Meinung nach haben wir eine nach wissenschaftlichen Grundsätzen geleitete Regierung und es ist uns tatsächlich gelungen, Armut in ihren äußersten Formen zu verhindern. Dagegen haben die oberen Kreise in Großbritannien, die seit Generationen im Luxus leben, den vielen Millionen unglücklichen in Slums lebenden Bettlern stets sehr wenig Beachtung geschenkt. Unserem deutschen Sinne erscheint eine solche Haltung nicht nur selbstsüchtig und grausam, sondern auch unwissenschaftlich. Was können jetzt in dieser Stunde der Gefahr diese unglücklichen Geschöpfe dem Lande, dem sie nichts als ihre Geburt verdanken, an Unterstützung bieten? Nichts!

Der deutsche Reichskanzler in einer Unterredung (1915).

◻

296

In anderen Ländern ist es ein Unglück, arm zu sein; in England aber gereicht die Armut einem Manne zum Verbrechen.

Bulwer „England and the English".

□

Der typische Seidenhut.

Daß der Brite seinen Deckel (jeder auf seine Würde haltende Brite trägt in der Heimat die „Angströhre") niemals lüftet — außer wenn „Heil dir im Siegerkranz" gespielt wird, was er „God save the King" nennt — möchte ich ihm noch am wenigsten übel nehmen, aber seine sonstige Ungehobeltheit! Wer immer in London war, wird die Erfahrung gemacht haben, daß die Leute dort mit ihrem Zylinder auf dem Kopf kerzengerade vor sich hinstürmen und alles, was sich ihnen in den Weg stellt, kurzerhand beiseite stoßen, ohne ein Wort der Entschuldigung zu finden. Fragt man einen um den Weg, so gibt er überhaupt keine Antwort, sondern stürmt weiter. Er meint, zur Auskunftserteilung sei der Polizist da.

Spiridion Gopčević
„Aus dem Lande der unbegrenzten Heuchelei".
Schlesische Verlagsanstalt, vorm.
Schottländer, Berlin.)

□

Die Engländer und die Wehrpflicht.
Ein prophetisches Wort.

Vor allem lebt der Brite vom Gelde. Geld beherrscht das Land und alle Landesbegriffe. Mit Geld läßt sich nach britischem Glauben alles tun, auch die Landesverteidigung und ein ungeheures Kolonialreich aufrecht erhalten. Von dem Werte des eigenen Daseins denkt der Brite außerordentlich hoch. Wenn ein feindliches Heer drei Stunden von London stände, würde ohne Zweifel das ganze Volk aufstehen und in allerhand überstürzten Torheiten sich zum Kampfe zu bereiten suchen. Aber bis dahin hat's ja noch gute Wege, und solange noch ein anderer Ausweg bleibt, solange man sich noch in den noch nicht erhellten Winkel eines Gegengrundes verstecken kann, solange wird auch jenseits des Kanals die allgemeine Wehrpflicht ein Traum bleiben.

Solange sich andere finden, die für Geld in der Uniform herumlaufen und sich der Reihe nach in die Kolonialgarnisonen senden lassen, so lange braucht der gebildete Brite sich nicht selbst zu stellen. Wir betrachten die allgemeine Wehrpflicht als eine Ehre, der Brite würde in ihr nur den Angriff der Hölle auf sein persönliches Behagen, seine Freiheit und seine Geschäftszeit sehen. Wer gegen Behausung, Kleidung, Verpflegung und ein kleines Taschengeld den bunten Rock trägt, mag ein Narr sein, man mag ihn aus ganzer Seele verachten, aber da der

298

Rock denn doch von jemand getragen werden muß, so
zahlt man dafür.

Dr. Alexander Tille,
„Aus Englands Flegeljahren", 1901.

◻

Die Korrektheit.

Alle Engländer beten zu einem Gotte. Er heißt:
„Propriety", Korrektheit des gesamten Benehmens.
Dieser Kultus an sich ist gewiß überall sehr lobens= und
nachahmenswert. Er hat Ordnung, Anstand, Rücksicht,
Sittlichkeit, Frömmigkeit in seinem Gefolge. Aber in
England ist „Propriety" ein Götze geworden, dem rück=
sichtslos geopfert wird. Das allgemein anerkannte
korrekte Ding zu tun, das ist des Engländers
höchstes Streben. Er fragt nicht viel, ob es
auch das an sich richtige Ding ist. Vor allem gilt
es ihm nicht anders zu sein als die anderen Leute und nicht
„unprecedented" zu handeln, denn ein Verfahren, oder
eine Tatsache, die bis dahin noch nicht da waren, — das
ist schon an sich ein tadelnswertes, mindestens ein bedenk=
liches Vorkommnis. Ein anderer Gegenstand. Scheu ist
alles was unenglisch und „foreign looking" erscheint. Was
irgend dahin schlägt, ist von vornherein ein Gegenstand
der Verwunderung, des Zweifelns, der Heiterkeit, und
des Mißtrauens. Fremde klingende Namen und Titel
imponieren dort nicht im mindesten, desto mehr aller=
dings die einheimischen. Nichts außerhalb Englands

299

kann so richtig und so gut sein als das englische.

Ludwig Freiherr von Ompteda, „Aus England".

□

Als ich mich das letztemal einige Wochen in England
aufhielt, empörte ich meine Freunde, indem ich mich
nicht enthalten konnte auszurufen: „Ihr seid ja eine
Nation von Schafen!" Das beginnt bei den kleinsten
Angewohnheiten des täglichen Lebens und führt hinauf
bis zu den politischen Ansichten; alles und alle über
einen Leisten geschlagen. Jeder Mann trägt dieselbe Hose, jede Frau den gleichen Hut; ich erinnere mich,
daß einmal in ganz London kein blauer Schlips aufzu-
treiben war: blau war nicht Mode; so etwas ist in Berlin,
Paris, Wien undenkbar. Alle Menschen beiderlei Geschlechts lesen dieselben Romane, verschlingen sie, einen
Band pro Tag, „die Romane der Woche".

Houston Stewart Chamberlain, Kriegsaufsätze.

□

Wer sich durch irgendeine Äußerung mißliebig macht,
wird in der Gesellschaft bloßgestellt, ausgeschlossen, ge-
mieden. Wer öffentlich gegen den Strom
schwimmt, über den fällt der Pöbel her, reißt
ihm die Kleider entzwei, mißhandelt ihn und wirft ihn
hie und da selbst ins Wasser.

Dr. Alexander Tille (von 1890—1900 Dozent an der Universität Glasgow). „Aus Englands Flegeljahren".

□

Ich freue mich, London mit seinen Gastmählern nie wieder zu sehen, wo wir alle in Masken sitzen, sagen, was wir nicht glauben, und uns gegenseitig herabsetzen. Lieber würde ich als Derwisch mit dem Mahdi leben, als in London täglich so ein Gastmahl mitmachen.

Der englische General Gordon.

◻

England ist das einzige unter den westlichen Kultur=ländern, das bis auf den heutigen Tag der Einführung des Dezimalsystems in der Messung und Zählung sich widersetzt hat. Auch seine völlig veraltete Orthographie will es nicht aufgeben. Mittelalterliche Sitten ragen in das geschäftliche Treiben der City hinein.

Dr. Frischeisen-Köhler in „Das englische Gesicht".

◻

Jeder Brite hängt mit allen Fasern am Alten. Um ihn von etwas Neuem zu überzeugen, dazu bedarf es erst eines völligen Zusammenbruches der Welt um ihn.

◻

Die Unnahbarkeit.

In England wissen die zwei Hälften des Volkes — die kleine und die große — nichts voneinander, gar nichts. Ich kann zwanzig Jahre lang einen Diener haben und weiß nicht mehr von ihm und über ihn als von der Seele meines Spazierstocks: der Stolz des Engländers,

301

der nicht zur oberen Kaste gehört, ist seine Unnahbarkeit; er will nicht gefragt werden, er will nicht sprechen, er wünscht nicht „Guten Morgen" und „Gute Nacht". Begegnet er seiner Herrschaft auf der Straße, er geht auf die andere Seite hinüber, um nicht grüßen zu müssen. Was für eine Kameradschaft kann es da zwischen Offizier und Soldat geben? Woher soll die Einheit kommen? Es ist und bleibt das Verhältnis eines Adeligen, der Menschen aus einer anderen Welt Befehle gibt und Gehorsam durch seine angeerbte Überlegenheit erzwingt.

Houston Stewart Chamberlain, Kriegsaufsätze.

◻

Nützlichkeits-Philosophie.

Nicht das Schürfen in der Tiefe ist charakteristisch für dieses Volk geworden, sondern eine, man möchte sagen, handfeste Nützlichkeitslehre. England ist es vorbehalten gewesen, denjenigen Teil der Philosophie zur Blüte zu bringen, der auch vor dem Weltkriege keinem unter uns Bewunderung, den meisten nicht einmal Anleitung abgewinnen konnte, die sogenannte Nützlichkeitsphilosophie.

Heinrich Tilemann,
„Woher das Selbstgefühl der Engländer?"

◻

302

Arbeit.

Eines aber lernt der Engländer auf seiner Schule nicht, was wir für eine der wichtigsten Gaben halten, die die deutsche Schule ihren Zöglingen mitgibt: arbeiten — arbeiten zu einem kleinen, oft unsichtbaren Zweck, arbeiten, weil es die Pflicht so verlangt. Der Engländer nimmt es wohl auch nicht schwer, sich einmal ordentlich anzustrengen: das hat er durch den Sport gelernt, alle Kräfte einzusetzen, um ein Ziel zu erreichen. Aber das tut er doch nur ausnahmsweise, wenn der Erfolg winkt. Wirklichen Fleiß, wie ihn Deutschland doch mehr als die Hälfte aller Schüler zeigt, das kennt der Engländer nicht. Da kommt dann der deutsche Kauf= mannslehrling hinüber in das englische Kontor und arbeitet das Doppelte von dem, was der Engländer fertig bringt; er sitzt still und fleißig von früh bis spät an seinem Pult und wird beliebt bei seinem Chef und verhaßt bei seinen Kollegen. Diese empfinden es einfach als unlau= teren Wettbewerb: sie spüren jetzt, was der Grund ist, daß draußen in Guatemala die deutsche Firma trotz widriger Umstände besser vorwärts kommt als die eng= lische. Und ein Haß gegen den fleißigen Deutschen setzt sich in ihrem Herzen fest und macht sich Luft, wenn immer das Gespräch auf Deutschland kommt. Diese Handels= gehilfen werden die Träger des eigentlichen Deutschen= hasses.

Professor Dr. Wolfgang Keller,
„Das moderne England".

◻

Nichts ist bei einem Engländer gewöhnlicher, als zu arbeiten, bis er seine Tasche voll Geld hat, und dann müßig zu gehen oder vielleicht sich zu betrinken, bis alles durchgebracht und er selbst vielleicht in Schulden sitzt; und fragt man ihn, wenn er so sitzt und trinkt, was er nun zu tun gedenkt, so wird er ganz offen sagen, er werde trinken, solange es reicht, und dann wieder arbeiten, um mehr trinken zu können. Ich mache mich ohne Zögern anheischig, in ganz kurzer Frist von tausend Familien in England nachzuweisen, die ich persönlich kenne, die in Lumpen gehen, deren Kinder kein Brot haben, und deren Väter 15 bis 25 Schilling verdienen könnten, aber nicht arbeiten wollen. Der Grund, weshalb so viele vorgeben, daß es ihnen an Arbeit fehle, ist der, daß sie unter dem Vorwand mangelnder Arbeit so gut leben können, daß sie töricht sein würden, wenn sie sich Arbeit verschafften und ernsthaft arbeiteten.

Der englische Geschichtsschreiber Lecly.

□

Musik . . .

Die Puritaner haben in England die Musik, sie haben die dramatische Kunst ertötet. Nur die rohesten Repräsentanten derselben konnten sich aus dem Geschmackskreise des Pöbels bis auf den heutigen Tag erhalten, in der Musik die Dudelsackmotive, im Theater die derbe oder kindisch einfältige Posse und Farce, denn es fehlte durch Jahrhunderte das Publikum für die höhere Kunst.

304

Der beste Teil der Nation — das heißt aber in Eng=
land nicht etwa die Aristokratie — hielt sich ferne und
hält sich zum Teile heute noch ferne. Ebenso ist ein charak=
teristisches Zeichen dafür der fast gänzliche Mangel wirk=
lich schöner Volkslieder und Volksliedermelodien in Eng=
land — zum Unterschied von Schottland; das kleinste
deutsche Studentenliederbuch enthält mehr da=
von als ganz England und Amerika zusammen=
genommen!

Dr. M. M. Arnold Schröer,
„Grundzüge und Haupttypen der englischen Literaturgeschichte."

◻

Ein ausgezeichneter französischer Kritiker (Renan)
hat als eine der auffälligsten unter den vielen Verschieden-
heiten, die zwischen den beiden großen Zweigen der
germanischen Rasse obwalten, hervorgehoben, daß von
allen neueren Kulturvölkern die Deutschen in
der Musik wohl am höchsten und die Engländer
am tiefsten stehen.

Der englische Geschichtsschreiber Lecky.

◻

Hunnen=Musik in England.

Die Musik ist der Ausdruck einer Gemüts=
bewegung (Emotion) durch den Ton. Welches
sind nun die von den beiden Richards, Richard
Wagner und Richard Strauß, gewählten, mit
allem Wunder ihrer niedrigen Geschicklichkeit

ausgedrückten Gemütsbewegungen? Selbstan=
betung, Roheit und nackte Zügellosigkeit!

Wir sind in unserem Widerstand dagegen schwach
gewesen, weil wir einigen Abfälligen (decadents) in
unserer Mitte erlaubt haben, unser Geschick zu leiten.
Das Eindringen der Musik der modernen Hunnen wäh=
rend der letzten 40 Jahre hat eine größere Wirkung in
der Erniedrigung des Charakters gehabt, als wenn der
Hunne die Welt erobert hätte, was er durch die Ge=
walt der von ihm jetzt mit so wilder Rücksichtslosigkeit
geführten Waffen erstrebte.

Zur Zeit der Königin Viktoria kam diese Musik zu=
erst zu uns mit der scheußlichen Forderung, daß Reinheit
des Gedankens den Gebildeten nicht nötig sei. Im „Lohen=
grin" zwang Wagner uns sein widerliches Vorspiel zum
3. Akt auf, dessen Sinn von keinem sich selber achtenden
Literaten in Worte gefaßt werden könnte. Es liegt nicht
in mir, irgend jemand zu hassen; mir können solche Übel=
täter nur leid tun. Wir aber würden viel lieber wollen,
die rohe Bestie nähme unser Leben, als daß sie das biß=
chen Reinheit, welches unser einziger Schatz ist, zerstöre.
So hat für mich die Ankündigung, daß ein gewaltiges
Programm von Hunnenmusik in den nächsten 6 Monaten
der Stadt Brüssel aufgezwungen werden soll, eine un=
heilvollere Bedeutung, als die jammervollen Berichte
im vorigen Jahr über die Verheerung Belgiens und die
Qualen seiner Bewohner durch die Schrecken von Blut
und Feuer. Es ist ein Teil der gewaltigen Anstrengung,
welche die Hunnen machen, um die Gefühle derjenigen

306

Belgier, welche in ihrer Knechtschaft sind, zu entwür=
digen. Diese weigern sich vielleicht, die Hunnenmusik an=
zuhören, aber die Anstrengung ist sicherlich bezeichnend
genug. Ihr möglicher Erfolg ist berechnet mit dem Scharf=
sinn der übergebildeten Bestie.

Soweit wir in Frage kommen, so kann niemand
behaupten, daß irgendwelche Notwendigkeit vorliegt, daß
die deutsche Vize=Musik zur Schande unserer gottergebenen
Seelen jeden Tag im ganzen Lande gespielt wird. Sie ist
ein eiterndes Geschwür, welches aus unserem nationalen
Leben ausgebrannt werden sollte. Noch ist Zeit zur
Heilung.

Die Behandlung, die ich vorschlage, mag drastisch
erscheinen, aber es ist die einzige: Moderne deutsche Musik
muß mit Stumpf und Stiel verbrannt werden. Wir
lesen alle Tage genug von Teufelei und Erbärmlichkeit;
wir haben nicht nötig, sie uns in die Ohren und Augen
werfen zu lassen.

Ich bin nur eine kleine Stimme, welche, soweit sie
fähig ist, ausspricht, was eine Menge fühlt, aber keine
Gelegenheit hat, es zu sagen. Durch alle Mittel laßt uns
die Musik der die Vornehmheit des Gedankens pflegen=
den nationalen Schulen genießen: die männliche bri=
tische, die pikante spanische — ein wahrhaft unerforschtes
Feld des Entzückens für die meisten von uns —, die reizende
französische, die feurige italienische, die imponierende
russische, die melodische skandinavische und die leiden=
schaftliche polnische; aber laßt uns die Verdrehungen der
hunnischen Seele gebührend verachten. Wir müssen sie

307

verbannen und sie zu hören ablehnen. Vor allem
müssen wir beschließen, daß unsere Kinder
nichts von dem Vorhandensein dieses bös=
willigen Wahnes erfahren.

Brief von Charles Vidal Diehl,
abgedruckt in der „Daily Mail" London 1915.

□

Right or wrong, my country.

Kein starkes Volk ohne Selbstgefühl! Jedem Volk,
das zu etwelcher Höhe des Volkstums aufgestiegen ist,
werden wir das ohne Zögern als sein gutes Recht zu=
gestehen. Anders aber liegen Dinge wohl da, wo das
Selbstgefühl eines Volkes diejenigen Schranken, die es
im übrigen Leben zu achten sich verpflichtet fühlt, im
Verkehr mit anderen Völkern planmäßig miß=
achtet und wissentlich außer Geltung setzt. Das
aber ist in England der Fall, wo jene Mißachtung ethischer
Grundsätze dem berüchtigten Worte zum Leben verholfen
hat: right or wrong — my country! Weit entfernt der
Wahlspruch eines einzelnen Realpolitikers zu sein, ist
jener Grundsatz vielmehr Gemeingut des Volkes, ja
geradezu ein Element des Volksbewußtseins geworden,
charakteristisch für das Engländertum.

Aber noch eine andere Seite verdient hervorgehoben
zu werden: Der notorische Mangel an Verständnis für
die Eigenart eines anderen. ... Vielleicht ist unter
keinem Volk des europäischen Kulturkreises
das Bestreben und die Fähigkeit, in das be=

308

sondere Wesen eines anderen Volkstums einzu=
bringen, um nach der geistigen Seite hin korri=
giert und bereichert zu werden, verhältnis=
mäßig so wenig vorhanden als bei den Eng=
ländern ...

Heinrich Tilemann,
„Woher das Selbstgefühl der Engländer?"
2. Auflage.

□

John Bull nennt seine Schotten Haferbrotfresser,
aber diese Haferbrotfresser sind der kräftigste Menschen=
schlag in ihrer alten Römertracht und weit braver und
unverdorbener als die Briten. Johnson (englischer Sa=
tiriker), der gleichfalls ihrer spottete und vom Hafer
sagte, daß ihn in England die Pferde, in Schottland die
Menschen verzehren, entschied einst die Frage: ob der
Mensch seine Existenz frei wählen, oder ob ihn Gott da=
zu zwingen müsse, dahin: „Soll der Mann ein Eng=
länder werden, so wird er sich die Existenz wählen; soll
er aber ein Schotte oder Ire werden, so wird ihn Gott
zwingen müssen." — Der Nationalhaß zwischen Briten
und Franzosen rührt lediglich von dem Hochmut des
ersteren her. Der Franzose ist dem John Bull ein Frösche=
koch und Wassersuppenfresser, und bei dem Deutschen
denkt er zunächst an Bratwurst und Sauerkraut. Er
nennt den Franzosen einen französischen Babler, und
der Pöbel, der den Fremdling dog (Hund) nennt, würde
ihn nur halb zu beschimpfen glauben, wenn er ihn nicht
French dog (französischer Hund) schimpfte. Der Italiener

309

ist ein italienischer Monkey (Affe), der Holländer ein holländischer Ochs. — —

Karl Julius Weber im „Demokritos".

◻

Die Londoner.

In London sind Hunderttausende, die nie=mals was andres gesehen haben als die Stadt. In solchen großen Städten bilden sich Ansichten, die ver=ästen sich und verhärten und werden dann Vorurteile für die darin Lebenden. In solchen großen Mittelpunkten der Bevölkerung, die von dem, was außer ihnen ist, keine Erfahrung und so keine richtige Vorstellung haben — von manchem keine Ahnung —, entsteht diese Beschränkt=heit, diese Einfältigkeit. Einfalt ohne Einbildung ist zu ertragen. Aber einfältig sein, unpraktisch und dabei eingebildet, ist unerträglich.

Bismarck bei einem Tischgespräch.
Aus Busch „Tagebuchblätter".
(Verlag von Fr. Wilh. Grunow, Leipzig)

◻

London im Weltkrieg.

Dies Land, das an Toten und Verwundeten bereits eine halbe Million Menschen verloren hat, scheint durch die Millionen der Kriegsgewinne förmlich außer sich geraten zu sein. Sieht man die Menge, die die großen Warenhäuser füllt und sich an allerlei Unterhaltungs=

310

stätten drängt, so kommt einem der Gedanke, ob vielleicht die Nerven der Londoner durch die Zeppelinbesuche in einen Zustand der Überreizung versetzt worden sind. London macht heute den Eindruck eines einzigen lärmenden Wirtshauses. In den Speisesälen der großen Hotels herrscht abends ein fieberhaftes Leben üppigster Eleganz: die Tische funkeln von schneeigem Damast und kostbarem Leinen, Zigeunerkapellen spielen, tiefausgeschnittene Damen und hochelegante Herren tanzen den Twostep, das Geld aus den Kriegsgewinnen strömt nur so. London hat nie so viel Luxuskraftwagen gesehen wie jetzt, und es scheint, als ob man den „verdammten Deutschen" jetzt recht erst zeigen wolle, wie dick man es hat.

E. F. Bertelli
im „New York American"

□

Der Alkohol in England.

□

Man kann vom Elend Londons nicht sprechen, ohne der Trunksucht zu gedenken und der verhängnisvollen Rolle der Schnapsschänke einen breiten Raum zu gönnen. Vom armseligen Verdienst der Massen verschlingt das Public-house einen unverhältnismäßig großen Teil und der Alkoholmißbrauch, in seiner komplizierten Wechselwirkung sowohl als Folge wie als Ursache des Elends, bildet vielleicht das unüberwindlichste Hindernis aller

311

Fortschrittbewegungen. Selbst in den jammervollsten Bezirken der Großstadt ist die Kneipe eine wahre Goldgrube, eine Schanklizenz bedeutet ein Vermögen. Das zehn= und zwanzigfache des Bauwertes wird für ein armseliges Häuschen bezahlt, wenn eine Lizenz damit verbunden ist; Preise von 30—50000 Lstr. für eine Schankstube sind nichts Außergewöhnliches. Vor kurzem wurde die Kneipe „Royal Oak" in Barking Road, Canningtown, einem der elendesten Stadtteile Londons, für 112000 Lstr. verkauft. In manchen Gegenden wird eine Schänke von je 25 Familien erhalten. London verdient den traurigen Ruhm, auch auf dem Gebiete des Alkoholismus die größte Gleichberechtigung der Frauen aufzuweisen, sie sind mit nicht weniger als 38 vom Hundert an den durch Trunksucht verursachten Ausschreitungen beteiligt. In keiner europäischen Hauptstadt sieht man so viel betrunkene Frauen, zerfetzt und zerschlissen, abgestumpft und vertiert, und wenn schon in Familien, wo der Mann trinkt, kein Gedeihen möglich, so werden die Haushaltungen, wo die Frau dem Dämon Alkohol verfallen ist, zu Ruinen.

Adele Schreiber.
„Bilder aus Ost=London".

□

England kämpft mit drei Feinden, Deutschland, Österreich=Ungarn und mit der Trunksucht. Hiervon ist die Trunksucht der schlimmste Feind.

Georg V., König von England.

□

312

Lloyd Georges Vorschlag der Regelung des Getränkewesens stößt, nachdem seine Einzelheiten in der Bevölkerung bekannt geworden sind, überall auf kräftigen Widerstand. Auch die Presse ist in ihrer überwiegenden Mehrheit gegen den Vorschlag, weil er den Untergang vieler Tausende von Existenzen bedeute. In den Arbeiterkreisen herrscht eine sehr erregte Stimmung, weil Lloyd George einen Unterschied machte zwischen Wein und anderen geistigen Getränken. Nachdem der Entwurf im Unterhaus eingebracht worden war, bemächtigte sich des englischen Volkes eine Panik, wie man sie in England bisher kaum erlebt hat. Die Bevölkerung stürmte die Wein- und Spirituosengeschäfte, um sich reichlich mit Spiritus zu versehen, ehe die neue Abgabe in Kraft tritt. Alle Geschäfte sind mit Aufträgen überhäuft, so daß sie außerstande sind, sie auszuführen. Schon in der Frühe des kommenden Tages mußten zwei der größten Spiritusgeschäfte von Westend bekanntgeben, daß sie ausverkauft hätten und alle ferneren Aufträge auch nicht zu höheren Preisen ausgeführt werden könnten.

Kopenhagener Meldung (1915).

◻

Die Trunksucht.

Die Trunksucht in England hatte während des Weltkrieges so zugenommen, daß vor einigen Wochen scharfe Maßregeln und schwere Strafen dagegen dekretiert worden sind. Bekanntlich war die Trunksucht in England auch

313

früher schon zu einer solchen, in Deutschland unbekannten
Plage, und ein solcher Schaden an dem sozialen Körper
geworden, daß Betrunkene mit Gefängnis bestraft wor=
den sind, und zwar sind nach einer Aufstellung der „Times"
nur für die Nordostküste, den Distrikt von Liverpool, Groß=
London und das Bergrevier von Süd=Wales bis zu 80 000
Fälle jährlich zur Bestrafung gelangt, darunter n i c h t
w e n i g e r a l s 23 000 F ä l l e , i n d e n e n F r a u e n be=
straft werden mußten. „For being drunk and in-
capable."

Im einzelnen sieht die Statistik wie folgt aus; über=
haupt:

1909	1910	1911	1912	1913	1914	1915
58 000	59 000	67 000	74 000	79 000	79 000	80 000

Fälle von Bestrafung betrunkener Frauen:

17 000	17 000	18 000	19 000	21 000	22 000	23 000

Seit den letzten drakonischen Bestimmungen scheint
die Trunksucht oder scheinen wenigstens die Fälle ihrer
Bestrafung in starkem Rückzug zu sein, namentlich für
Männer. Die „Times" berechnen den jetzigen Stand
auf ein Jahr ausgerechnet, auf 46 000 im ganzen, während
die Zahl der wegen Trunksucht bestraften Frauen von
24 000 auf 17 000 gefallen sei. Diesen Berechnungen
liegen aber nur die Bestrafungsfälle einiger Monate
zugrunde, und es fragt sich, wie die Zahlen für ein ganzes
Jahr aussehen werden. Weder große Fabrikzentren: Bir=
mingham, Leeds, Cheffield, noch Schottland sind in den
Zahlen enthalten. Der Rückgang der Trunksucht ist
übrigens nicht auf größere Mäßigkeit zurückzuführen,

314

sondern auf scharfe Bestrafung und namentlich auf die Beschränkung der Gelegenheiten zum Trinken durch Verkürzung usw. Charakteristisch ist die Bemerkung der „Times", daß die Beschränkung der Trunksucht den Gefängnissen erlauben sollte, eine größere Anzahl von Männern für militärische Zwecke freizumachen. Also die Trunkenbolde aus den Gefängnissen werden im Namen der Zivilisation und Menschlichkeit auf uns losgelassen. Die alte „Times" hat die Schamröte schon lange verlernt.

Belgischer Kurier 1916, Nr. 1.

◻

Die Trunkenheit in den Straßen ist unmöglich zu beschreiben. Der Sonnabendabend ist ein allgemeiner Feierabend. Die Frauen betrinken sich fast ebenso wie die Männer. In Schottland kommen sie darin einander gleich, in Irland übertreffen sie die Männer.

Aus Max O'Rell (Paul Blouet)
„John Bull et son île."

◻

Besonders erschreckend ist die Rolle, welche die Weiber bei der Trunksucht spielen. Wer je in London war, kann unmöglich die fürchterlichen Szenen übersehen haben, welche dort, namentlich an Samstagen, Sonntagen und Montagen von den sinnlos besoffenen Weibern aufgeführt werden! Von neun Uhr abends bis Mitternacht kann man in langen Zügen die Weiber (und natürlich auch

315

die Männer und selbst Kinder!) vom Leihhaus zur Kneipe
ziehen sehen. In erstem versetzen sie die Sachen, und für
den Erlös saufen sie sich in der Kneipe mit Gin (Wachol=
derbranntwein) einen tüchtigen Rausch an. Man kann
da Mütter sehen, die mit dem Säugling im Arm und
von der Nachbarin begleitet sich berauschen, dann mit=
einander raufen und den Säugling hilflos am Boden
liegen lassen. Und wenn Kinder von 4—6 Jahren in
die Kneipe kommen, um ihre Mütter abzuholen, so kann
man sehen, daß jene von ihren Müttern Schnaps einge=
flößt bekommen, damit sie nicht so sehr zum Fortgehen
drängen sollen!

Spiridion Gopčević,
„Aus dem Lande der unbegrenzten Heuchelei".
(Schlesische Verlagsanstalt vorm. Schottländer, Berlin.)

◻

Als Walpole noch ein junger Mann war, pflegte
sein Vater ihm die doppelte Portion Wein ins Glas zu
gießen, indem er sagte: „Komm, Robert, du sollst zwei=
mal trinken, wenn ich einmal trinke; denn ich will nicht,
daß der Sohn in nüchternem Zustande Zeuge von dem
Rausche seines Vaters werde."

Der englische Geschichtsschreiber Lecky.

◻

Bibel oder Bier, Evangelium oder Gin — etwas
anderes gibt es am Sonntage nicht, keine Zwischenstufe

316

in diesem Lande der Gegensätze. Es ist, wie Mr. Taine gesagt hat, entweder das Paradies oder die Hölle.

Aus Max O'Rell (Paul Blouet)
„John Bull et son île".

□

Verschwendung und Spielwut.

In betreff der Kolossalität der Verschwendung, Schwelgerei und Schamlosigkeit ließ (Ende des 18. Jahrhunderts) sogar London die Hauptstadt Frankreichs noch hinter sich. Der Luxus und die Verachtung aller sittlichen Gesetze ging in den englischen Modekreisen bis zur Raserei. Die Spielwut war grenzenlos. In dem berühmten Londoner Kaffeehaus „Zum Kakaobaum" war es etwas Gewöhnliches, daß junge Noblemen an einem Abend bis zu 25 000 Pfund St. (500 000 Mark) verloren. Eines Abends standen daselbst 180 000 Pfund auf einem Satze. Eines andern Abends verlor ein junger Schiffskadett ein soeben von seinem älteren Bruder ererbtes Gut im Werte von 100 000 Pfund (2 Millionen, nach heutigem Werte 3 Millionen Mark). Die Frauen der vornehmen Welt wetteiferten in bronzestirniger Hintansetzung aller Zucht und Scham mit den Männern . . .

Johannes Scherr, „Karoline von England".

□

317

Englische Roheit.

◻

Die Sitte ist eine gewaltige Macht — aber, wo sie fällt, wo die Rücksichten aufhören, die durch die Haussitte und die Heimatsitte gezogen sind, tritt auch sofort eine Roheit und Rücksichtslosigkeit ein, wie wir sie bei manchen auf der Reise im Ausland befindlichen Engländern oder auch in gewissen Erscheinungen englischen Sportslebens betrachten können.

Dr. Jastrow,
„Das englische Volk in Religion und Sitten".

◻

Nichts Roheres gibt es auf der Welt, als einen rohen Engländer; er besitzt gar keinen anderen Halt als eben seine Roheit. Meistens ist er kein schlechter Mensch; er hat Offenheit und Energie und Lebensmut; er ist aber ignorant wie ein Kaffer, macht keine Schule des Gehorsams und der Ehrfurcht durch, kennt kein anderes Ideal als „to fight his way through", sich durchzukämpfen. Diese Roheit hat nach und nach von unten bis oben — wie das stets der Fall ist — fast die ganze Nation durchtränkt.

Houston Stewart Chamberlain, Kriegsaufsätze.

◻

318

Englische Kriegslyrik.

Der „Schwäbische Merkur" macht auf ein Gedicht aufmerksam, das am 20. August 1915 im Londoner „Daily Graphic" zu lesen war. Es lautet:

Down with the Germans, down with them all!
O Army and Navy, be sure of their fall!
Spare not one of them, those deceitful spies,
Cut their tongues, pull out their eyes!
Down down with them all!

In deutsche Verse umgegossen, würde das anmutige Poem etwa so lauten:

Nieder die Deutschen! Nieder sie alle!
O Flotte, o Heer! Zweifelt nicht an ihrem Falle!
Sollt nicht einen verschonen von den falschen Spionen!
Ihre Zungen abschneiden! Ihre Augen auskrallen!
Nieder, nieder mit ihnen allen!

◻

„Doch horch! Da riecht er selbst! Denn keinem anderen
Aase
Entweichen solche Gase. Brüder schützt die Nase!"
Carl Spitteler in „Olympischer Frühling"
(Cerberus, der Höllenhund).

◻

Prügel für die Inder!

Nr. 3/3 (A).

Hauptquartier, Indisches Armeekorps.

Datiert, 22. Oktober 1914.

Memorandum für das Verhalten der Offiziere des
Indischen Armeekorps.

1. Nach den Bestimmungen des Indischen Armee-
Gesetzes § 45a kann auf körperliche Züchtigung
von einem Kriegsgericht zu Recht erkannt werden bei jedem Verstoß, der von einer diesem
Gesetz unterstehenden Militärperson vom Feld-
webelleutnant abwärts im aktiven Dienst ver-
übt worden ist. Auf Grund der Befehls-Sammlung
des Indischen Armeekorps dürfen jedoch solche Urteile nur
gegen solche Personen gefällt werden, die schuldig befunden wurden:

a) Grober Verstöße gegen Person oder Eigentum
von Bewohnern des Landes, nach § 41 des Indischen Armee-Gesetzes.

b) Einbruch in ein Haus zwecks Plünderung, oder
Plündern, sei es nach (a) oder nach § 25 (j) des-
selben Gesetzes.

c) Plündern als Posten oder auf Wache usw., nach
§ 26 (c) des Indischen Armee-Gesetzes.

d) Unehrenhaftes Betragen, nach § 31 des Indischen
Armee-Gesetzes.

320

2. Offiziere, die ein summarisches Generalkriegs=
gericht berufen, sollen stets dafür sorgen, nach § 98 (1) (c),
daß wenn der Urteilsspruch auf körperliche Züchtigung
lautet, die Prozeßakten ihnen zur Bestätigung zugesandt
werden. Mit Ausnahme der Fälle, in denen die Über=
weisung in berechtigter Berücksichtigung der Erfordernisse
des Dienstes nicht ausführbar ist, sollen alle solche Fälle
dem Generalauditeur des Indischen Armeekorps unter=
breitet werden, zwecks Vortrag vor der Bestätigung.

3. Körperliche Züchtigung, auf Grund des § 24 (2)
des Indischen Armee=Gesetzes, soll auf die Fälle be=
schränkt bleiben, in welchen sich Personen Vergehen laut
oben erwähntem Absatz (1) zuschulden kommen ließen.

4. Körperliche Züchtigung darf nicht in Gegenwart
von britischen oder anderen europäischen Truppen oder
Zivilisten vollzogen werden.

5. Nach der Ansicht des Armeekorpskommandanten
sollte Raub in diesem Lande sehr streng bestraft werden;
die verhängte Strafe sollte deshalb nicht unter der Höchst=
strafe bleiben.

6 Ein Exemplar dieses Befehls soll im Besitz jedes
britischen Offiziers der Artillerie und der Indischen For=
mationen im Indischen Armeekorps sein. Ein Exemplar
soll bei jedem Kriegsgericht, das unter Indischem Militär=
gesetz in dem Armeekorps abgehalten wird, vorhanden sein.

W. E. O'Leary, Oberst,
Stellvertretender Generaladjutant,
Indisches Armeekorps.

□

Cant und Snobtum

□

Der Cant.

Eine unsere größten Kantphrasen ist, daß unsere Presse erzieherisch wirke. Das ist eine verhängnisvolle Lüge. Dazu müßte unsere Presse vor allem weniger heuchlerisch, ehrgeizig, anmaßend und mehr anständig sein, sie dürfte sich nicht aufs hohe Roß setzen, müßte sich weniger unfehlbar, weniger unverschämt gebärden und ihre Angriffe nicht hinter der Namenlosigkeit des Verfassers verstecken. Wir brauchen keine Presse, die uns vorschreibt, was wir zu verehren und was wir zu verachten haben; bei diesen Versuchen hat sie sich oft schändlich blamiert. **Wir brauchen nicht diese Ausbrüche von Cant und Schwefel unter den Namen der Vaterlandsliebe und Sittlichkeit.**

Ein englischer Kenner.

□

Unsere Presse liebt es, unter dem Vorwand der sittlichen Entrüstung ihre Leser recht eingehend mit verschiedenen vorgekommenen Unsittlichkeiten bekannt zu machen, namentlich wenn es sich um Ehebruchsprozesse und dergleichen handelt. Sie könnte derlei ja ebensogut verschweigen, wie sie auch alle Klagen über die Eisen-

322

bahngefellfchaften verfchweigt, weil diefe für ihre An=
zeigen gut zahlen.

Ein englifcher Beobachter.

□

Erft durch den Cant erklärlich ift der Umftand, daß
man annimmt, ein Gefchworenengericht könne gar nicht
irrig urteilen! Wird alfo jemand tatfächlich unfchuldig
verurteilt und kommt dies fpäter heraus, fo darf das
Strafverfahren ja nicht aufgenommen werden und der
unfchuldig Verurteilte wird auch nicht in feine
bürgerliche Ehre eingefetzt, fondern er bleibt zeit=
lebens ein Verurteilter! Nur daß man ihn der Gnade
des Königs empfiehlt, der ihn dann „begnadigt"!!!

Spiridion Gopcevic,
„Aus dem Lande der unbegrenzten Heuchelei".
(Schlefifche Verlagsanftalt, vorm. Schottländer, Berlin)

□

Die intellektuelle Feigheit ift die einzige
Art von Feigheit, die in unferem Lande häufig
ift, aber fie herrfcht in beklagenswertem Maß.
Die meiften Schriftfteller machen fich Sorgen und Ge=
danken über die Tendenzen ihrer Bücher. Die fozialen
Strafen, welche auf nicht orthodoxe Meinungen ftehen,
find fo ftreng und werden fo unerbittlich verhängt, daß
die philofophifche Kritik und die Wiffenfchaft felber bei
uns allzuoft das, was von allen Dächern herabgerufen

323

werden sollte, nur in schüchternem Flüstern zu stottern wagt.

„Edinburgh Review".

◻

Der Snob.

◻

Wer Niedriges niedrig bewundert, ist ein Snob, und vielleicht ist dies sogar die beste Bestimmung des Ausdrucks.

In einem Lande, dessen Bevölkerung zur Mehrheit aus Snobs besteht, kann es dem hervorragendsten Snob sicherlich nicht an den Eigenschaften zum Regieren fehlen. Bei uns ist es ihnen in bewundernswerter Weise gelungen.

— * —

◻

Und da wir uns bekanntlich etwas darauf einbilden, ein freies Volk zu sein und es für unsere Pflicht halten, alle Menschen in ihrem Streben zu ermuntern, so sagen wir zu jedermann, von welchem Stand er auch sei: erwirb dir Reichtümer, verdiene viel Geld als Advokat, oder halte große Reden, oder zeichne dich auf dem Schlachtfeld aus und gewinne die Schlacht, dann sollst auch du in die privilegierte Klasse kommen, und deine Kinder sollen über uns herrschen.

— * —

◻

324

Es ist vielleicht für jeden Briten unmöglich, nicht in gewissem Maße ein Snob zu sein.

□

— * —

Unser Snobtum ist ein Erbteil der normannischen Ritter — es ist hochfahrend, brutal, stupid und durch und durch eingebildet.

□

— * —

Wir sind die Primaqualität der Welt. Das steht bei uns in unserem Herzen so fest, daß ein an einer anderen Stelle darauf erhobener Anspruch einfach komisch wirkt.

□

— * —

Dieser brutale, unwissende, knurrende englische Renommist zeigt sich in jeder europäischen Hauptstadt. Er ist eins der langweiligsten Wesen unter dem Himmel, tritt Europa unter seine Füße, drängt sich mit Rippenstößen in Galerien, Kathedralen und Paläste und legt dabei seine steifleinene Uniform nie ab.

□

— * —

Wir pflegen die Franzosen wegen ihrer Neigung zum Prahlen und wegen ihrer unleidlichen Eitelkeit auf La France, La Gloire und dergleichen Dinge auszulachen, und doch denke ich bei mir, daß der britische Snob, was Einbildung, Selbstgefälligkeit und Prah-

lerei betrifft, in seiner Art nicht seinesgleichen
hat.

— • —

□

Wir sind besser als die ganze Welt und ziehen diese
Ansicht gar nicht in Frage. —

William Makepeace Thackeray
„The book of Snobs".

□

Die Jugend

□

Ins Himmelreich!

Das Kind des Volkes wächst auf, wie es kann; jenes
des Reichen wird in einer von Söldlingen geleiteten Kin=
derstube aufgezogen, wo es weder zu lieben noch mensch=
lich zu fühlen lernt. Die anglikanische Religion, treu dem
Judentum nachgeahmt, hat nichts mehr von der süßen
Poesie des Evangeliums. Als Beobachter leerer Formen,
Sophist und Doktrinär, ist der Brite frömmelnd bis zur
Ausschweifung. Wie die Juden erklärt er sich für das
auserwählte Volk, betrachtet die übrigen Völker als min=
derwertige Heiden, spricht sich selbst alle Tugenden zu
und weiß im Vorhinein, daß der ewige Vater

seinem auserwählten Sohn nicht den Eintritt
ins Himmelreich verschließen wird.

Der Franzose Jupille, „Jacques Bouhomme chez John Bull",
Paris, 1885.

□

Die Verwöhnung.

Es ist ein eigentümlicher Zug, daß die höheren
Stände Englands besonderen Wert darauf legen, ihren
Knaben so große Ansprüche wie möglich anzuerziehen.
In der unerschütterlichen Überzeugung, daß ihre Verhältnisse so fest stehen, daß sie den Erdenuntergang über-
dauern würden, gewöhnen sie die Jünglinge an
ein Maß von Behaglichkeit und Verschwendung,
das sie sich in einem bürgerlichen Leben voll Arbeit nur
in den allergrößten Ausnahmefällen durch eigenen Verdienst leisten könnten.

Das gilt vom Essen und Wohnen wie von den An-
sprüchen an den Umgang. Es sind Klassenschulen, die
Great Public Schools, die Schulen der Reichen, in denen
die künftigen Erben von Namen oder Millionen das Vorrecht haben, bei ausgiebiger Behaglichkeit recht wenig zu
lernen, wo sie eine vergnügte Jugend in guter Kameradschaft mit gleichaltrigen Freunden verleben, wo aber
das Wissen eine ebenso untergeordnete Rolle spielt wie
die Schulung des Geistes.

Eine Bedeutung als Stätten einer gründlichen Ju-
gendbildung haben diese Schulen nicht. Ihre Zöglinge
sind unwissend und teilnahmlos, obgleich oft gar nicht

327

unbegabt, besitzen aber dafür das vollgewogene Maß Anmaßung, Unverfrorenheit, das den Briten dieser Klassen auszeichnet. Wenn man irgendwo in einem Konzertsaale einen jungen Mann seine Schmutzstiefel auf einen Samtstuhl legen sieht, auf den sich im nächsten Augenblick jemand setzen wird, kann man sicher sein, einen Etonier* vor sich zu haben.

Als Eingangspforten zum Reiche der Protektion, als Abstemplungsstätten für Herrentum und als lustige Jugendspielstätten sind diese Schulen geschätzt. Aber das Rüstzeug zu den Geisteskämpfen des Volkes wird dort nicht geschliffen.

Dr. Alexander Tille (von 1890—1900 Dozent an der Universität Glasgow). „Aus Englands Flegeljahren".

□

Erhaben.

Die Vernachlässigung des Reisegeschäfts entspringt nicht etwa dem bösen Willen englischer Kaufleute, sondern dem drückendsten Mangel an geeigneten Kräften. Ein junger Brite ist himmelhoch über die Forderung erhaben, Spanisch oder gar Russisch zu lernen. In einem Lande ohne jede kaufmännische Fachausbildung kann es ja auch nicht anders sein. Der spanische Briefwechsel englischer Geschäftshäuser liegt fast ausschließlich in den Händen von Deutschen.

Dr. Alexander Tille (von 1890—1900 Dozent an der Universität Glasgow). „Aus Englands Flegeljahren".

* In Eton berühmte Schule der Reichen.

□

328

Werdegang ...

Nichts deckt so trefflich den Unterschied zwischen deutschem und englischem System auf, wie etwa ein Vergleich der Laufbahn Bethmann-Hollwegs mit der von Grey. — Theobald von Bethmann-Hollweg studierte Jura, war Gerichts-Referendar, Regierungs-Assessor, Landrat, Oberpräsidialrat in Potsdam, Regierungs-Präsident in Bromberg, Oberpräsident der Provinz Brandenburg, preußischer Minister des Innern, bis er endlich Reichskanzler wurde. Er hat wissenschaftliche, namentlich philosophische Interessen. — Und nun Sir Edward Grey: er besuchte die Public School von Winchester, kam dann ins Balliol College in Oxford, dessen Mitglied auch der 10 Jahre ältere Asquith war; dann erwarb er sich zwei Preise, nämlich den Marilebone Criket Prize und den Queens Tennis Prize; er wurde mit 23 Jahren Abgeordneter — er hatte sich wohl im Debattierklub in Oxford durch seine guten Reden ausgezeichnet — und mit 30 Jahren Staatssekretär des Äußeren. Er kennt keine fremde Sprache und war längst Minister des Äußeren, als er zum erstenmal den Boden seiner Heimatinsel verließ, um in Begleitung des Königs nach Paris zu fahren. Er interessiert sich für Tennis und Angeln und hat ein kleines Büchlein verfaßt über das Angeln mit der Fliege.

Professor Dr. Wolfgang Keller,
„Das moderne England".

□

Von englischen Frauen.

□

„Shocking" . . . .

Die Prüderie, die als „shocking" alles ablehnt, was
an das Geschlechtsleben irgendwie erinnert, hat die selt=
same, und die Romanen immer wieder befremdende Be=
leuchtung verschuldet, in welcher auf der englischen Bühne
und in der englischen Literatur in der Regel die Liebe,
das Hauptthema aller Dichtung, erscheint. Die spezi=
fisch englische Liebe ist immer süß und himm=
lisch, die jungen Mädchen und Frauen sind
Heilige, so rein und unschuldvoll, daß sie jedes
altjüngferliche Herz höher schlagen lassen. Wie
aus lichten Höhen gesandt, erscheinen sie auf Erden, so
zart und fein, so ätherisch und so edel, so unfähig aller
sündhaften Regungen, daß es fast ein Wunder scheint,
wenn sie überhaupt noch einen Körper besitzen. Und
ganz entsprechend ist die Art, wie die bildende Kunst das
englische Frauenideal darstellt. Ist diese Verklärung, die
alles Sinnliche abstreift und übersieht, nicht reichlich ver=
logen?

Professor Dr. Frischeisen-Köhler in „Das englische Gesicht".

□

Die Roheit der Briten zeigt sich schon an der fort=
gesetzten Mißhandlung ihrer Weiber. In den untersten
Klassen entgeht wohl kaum ein Weib dem be=
ständigen Geprügeltwerden durch den Gatten.
Im Mittelstande wird mindestens die Hälfte der Weiber
von ihren Männern geprügelt und in den oberen Klassen
setzt es auch noch häufig genug Prügel. Hat doch auch der
Herzog von Marlborough seine Gattin, die Tochter des
amerikanischen Eisenbahnkönigs Vanderbilt, die ihm
168 Millionen Mitgift zugebracht hatte, geprügelt und
seine erste Frau mit Fußtritten behandelt.

Spiridion Gopcevic,
„Aus dem Lande der unbegrenzten Heuchelei".
(Schlesische Verlagsanstalt vorm. Schottländer, Berlin)

◻

Die Tiere werden in England sehr gut behandelt. —
An dem Tage, an dem sie ihre Frauen ebensogut behan=
deln wie ihre Pferde, werde ich die Londoner Fuhrleute
hochschätzen.

Max O'Rell (Paul Blouet)
„John Bull et son île"

◻

Die Suffragetten.

Am größten aber wurde der Skandal, als die An=
hängerinnen des Frauenstimmrechts, die Suffragettes
oder Suffragisten, wie sie sich lieber nennen, zur Pro=
paganda der Tat im anarchistischen Sinne
übergingen. Seit mehr als vierzig Jahren war eigent=
lich in jeder Parlamentsperiode einmal ein Antrag auf

33I

Erteilung des Stimmrechts an die steuerzahlenden Frauen eingebracht und abgewiesen worden. Diesesmal nun hegten die Frauen die größten Hoffnungen, weil Sir Edward Grey die Berechtigung ihrer Forderung anerkannt und ihnen schöne Versprechungen gemacht hatte. Um so grausamer war die Enttäuschung und um so größer der Haß, als sie sahen, daß sie auch von dieser Regierung nichts zu erwarten hatten. Und sie beschlossen nun, diesem Ministerium keine ruhige Stunde zu gönnen, sondern überall sich bemerkbar zu machen und auf jede Weise alle öffentlichen Veranstaltungen zu stören, bis man sie nicht mehr einfach beiseite schiebe. Sie führten einen erbitterten Kampf gegen die Regierung und wußten ihr das Leben auf alle Art sauer zu machen. Bei uns in Deutschland hat man für diese Art zerstörenden Kleinkriegs kein Verständnis; der Engländer aber erinnert sich der Streiche, die er in seiner Schule ausgeführt hat und nimmt das nicht so krumm. Ihm imponiert die Tat, der Practical Joke, wie man ja an der Ulsterrebellion sieht. Und als die Führerinnen der Suffragetten so viel Willenskraft bewiesen, daß sie im Gefängnis den Hungerstreik durchführten und jede Nahrungsannahme verweigerten, da war die Regierung der schwächere Teil: sie versuchte es zwar mit zwangsweiser Ernährung, konnte aber diese Methode, die auch von Unparteiischen als grausame Quälerei verworfen wurde, nicht durchführen und stand den Frauen, die so energisch vorgingen, hilflos gegenüber.

Professor Dr. Wolfgang Keller,
„Das moderne England".

□

Und wie hausten diese Frauen! Daß den guten Bürgern die Haare zu Berge standen und die Zornesader dick anschwoll, wenn sie beim Frühstück den Bericht lasen. So verzeichnet z. B. die Wochenübersicht der Times vom 5. Juni (1913) nicht weniger als 15 durch Suffragetten verübte Verbrechen und Unfug: 6 Brandstiftungen (1 Kirche, 1 Herrensitz, 1 Hotel, 3 Villen); 2 Störungen des Gottesdienstes (in der Londoner Paulskathedrale und im Dom von Birmingham); eine Attacke mit der Hundepeitsche auf einen Gefängnisarzt und ein Verprügeln eines Redakteurs; Zerstörung von zwei Bildern und einer Zeichnung in der Doré-Galerie mittels einer Axt, eine Wahlrechtlerin mußte wegen Steuerverweigerung gepfändet werden; andere hatten bei der Rede des Ministers Lloyd George in seinem Heimatort die Fenster eingeschmissen; eine endlich hatte sich an das Gitter des königlichen Palastes angekettet, so daß sie der Schutzmann nicht entfernen konnte. Andererseits werden einige Jünglinge, die eine Suffragettenversammlung gesprengt hatten, um die Frauen in einen Teich zu werfen, nach Ermahnung freigelassen. So weit ist es gekommen: als einziges Mittel weiß die herrschende Partei nur noch den Pöbel auf die Suffragetten loszulassen.

Professor Dr. Wolfgang Keller,
„Das moderne England".

□

Der betrogene Ehemann.

Der betrogene Ehemann ist in England keineswegs der Lächerlichkeit preisgegeben. Er braucht nur den Ehebruch seiner Frau zu beweisen, um die Scheidung zu erlangen. Wenn aber der Liebhaber vermögend ist, schlägt sich der Ehemann nicht etwa in einem Duell mit ihm. So dumm ist er nicht! Er rechnet ihm den erlittenen Schaden und die Unruhe an, die ihm verursacht worden ist. Wenn auch die Frau Vermögen hat, so können sich diese Schadenersatzbeträge zu fabelhaften Summen steigern, und der Ehemann hat die Lacher auf seiner Seite.

Max O'Rell (Paul Blouet)
„John Bull et son ile".

口

334

Das Ideal der Menschheit.

„What a pity he is a foreigner!" pflegt der Eng=
länder von einem ihm wohlgefallenden Ausländer zu
sagen, etwa so wie wir den Sohn eines Verkommenen
bedauern, der überraschenderweise trotzdem ein wohl=
geratener Mensch ist. Die größte Schmeichelei, die
ein Engländer einem Angehörigen einer an=
deren Kulturnation naiverweise sagen zu kön=
nen wähnt, ist die Versicherung, daß er fast
für einen Engländer gehalten werden könnte!

Umgekehrt würde ein Engländer es höchst peinlich
empfinden, daß man ihn für einen Ausländer hielte! —

Für den Engländer ist es traditionelle, heilige Über=
zeugung, daß es für den Menschen kein größeres Glück
geben könne, als Engländer zu sein; für seine sittliche
Vorstellung gibt es nur auf der einen Seite Engländer,
das heißt den Typus des zivilisierten Vollmenschen, auf
der anderen Seite all die verschiedenen Abarten, Bar=
baren, oder in verschiedenem Grade — aber natürlich
vergeblich — den Typus der den Vollmenschen zustreben=
den Ausländer.

So wie unsere Missionsgesellschaften mit heiliger

Überzeugung die heidnischen Wilden durch Bekehrung zum Christentum zu retten glauben, so glaubt der Engländer, die Welt durch Bekehrung zum Engländertum oder durch Anglisierung zu beglücken. Man wird einen gläubigen Missionar ebensowenig von der Gleichwertigkeit von Christen und Heiden überzeugen, wie einen Engländer von der der Engländer und der Ausländer.

Aus Dr. M. M. Arnold Schröer,
„Grundsätze und Haupttypen der englischen Literaturgeschichte."

□

Nicht grübeln, ist das Prinzip seiner Moral, das Herkommen, nicht die Gerechtigkeit, das seiner Rechtspflege.

Er wird von keiner Musik hingerissen, lacht nicht in dem Lustspiel, schreit nicht in der Tragödie, gibt kein Zeichen von Freude oder Leid bei den Begegnissen des Lebens, er hat keinen genauen Begriff von Schmerz oder Elend, weiß nichts von Ekstase, hat aber einen scharfen Blick für das Lächerliche. Auch in häuslichen, geselligen und politischen Beziehungen leitet ihn mehr Pflichtgefühl als Neigung. Glücklicherweise ist dem Engländer ein Übermaß von Haß wie von Liebe unbekannt. Rache verabscheut seine Natur. Der Sieg gibt keinen Triumph, die Niederlage keine Schmach.

Blackwoods Edinbourgh Magazine, 1831.

□

336

Die Naturnotwendigkeit.

Ich bin davon überzeugt, daß Deutschland einmal England besiegen wird. Das ist eine Naturnotwendigkeit. England ist nur ein Land, das sich in reißendem Rückgang befindet; es hat nur noch lange, zähe Wurzeln, aber kein Blühen, keinen Wipfel, keine Krone. Deutschland aber zuckt vor Kraft und Jugend.

Knut Hamsun, 1914.

□

Gesamt-Übersicht.

340

341

Schlagschatten
(Kultur — Sitten).

342